EL ARROYO ALAMAR DE T.
Un río urbano amenazado

Red de Investigación Urbana, AC

EL ARROYO ALAMAR DE TIJUANA
Un río urbano amenazado

Vicente Sánchez Munguía
(coordinador)

Hugo Riemann
Fernando T. Wakida Kusunoki
Teresita de Jesús Piñón Colín
Arizbé A. Gutiérrez Anima
Jaime Herrera Barrientos
Marnie González Estévez
Ricardo V. Santes-Álvarez
Carolina Trejo Alba
José Luis Castro Ruiz
Ana Elena Espinoza

Corrección de estilo: Nereo Francisco Zamítiz Pineda

Primera edición, 2013

D.R. © Programa Editorial de la Red de Investigación Urbana, AC, sede: DIAU-UAP, Juan de Palafox y Mendoza 208, Segundo Patio, Tercer Piso, Centro, 72000 Puebla, Pue., México. Tel.: (222) 2462832. Fax: (222) 2324506. Correos electrónicos: rniu@rniu.buap.mx y rniu@correo.buap.mx. Página: www.rniu.buap.mx

ISBN: 978-968-6934-31-1

Impreso en México / *Printed in Mexico*

Índice

Presentación

*Vicente Sánchez Munguía**

El deterioro de los ecosistemas que albergan el agua dulce como recurso vital de todas las especies terrestres y acuáticas conectadas entre sí, ha hecho de los temas de gestión y gobernanza del agua un asunto de la más alta prioridad y relevancia para los responsables de las políticas hídricas en el mundo, así como para los distintos usuarios que de manera directa se ven afectados cuando el agua se convierte en un recurso deteriorado en su calidad e inapropiado para el consumo humano, volviéndose incluso una fuente de riesgo para la salud pública.

Las fuentes de recursos hídricos mayormente sometidas a la degradación por el vertido de contaminantes o por la depredación de los ecosistemas de los que forma parte el agua, son aquellas que han quedado atrapadas por el crecimiento urbano, que en muchos casos fueron el origen de los asentamientos primarios de núcleos humanos que buscaron aprovechar el flujo permanente del agua para su consumo directo y para el impulso de las actividades proveedoras de su base alimentaria.

El paso a los procesos de urbanización e industrialización en aglomeraciones humanas en torno a fuentes superficiales de agua –que han caracterizado las etapas de modernización social en las distintas regiones y países del mundo– se ha distinguido por las omisiones respecto a las consecuencias que su dinamismo y su crecimiento desordenado han tenido sobre todo tipo de fuentes de agua –manantiales, ríos, lagunas o acuíferos del subsuelo–, convertidas en cuerpos receptores de las aguas usadas y de las cargas contaminantes generadas por los hogares y los sectores que integran las economías locales, sobre todo la industria en sus diversas etapas evolutivas.

En general, la sociedad ha tardado en tomar conciencia de la relación existente entre las formas de urbanización sin las previsiones, el equipamiento y la infraestructura de servicios básicos para hacer frente a las externalidades del dinamismo urbano. Igualmente, causan

---

* El Colegio de la Frontera Norte, Departamento de Estudios de Administración Pública. Correl: vsanchez@colef.mx.

impactos negativos los servicios que funcionan de manera deficiente para colectar las aguas residuales, conducirlas y tratarlas de manera conveniente antes de darles otro uso o verterlas limpias a cauces naturales para que se integren nuevamente a la naturaleza. Lo mismo se puede decir del valor atribuido a esas fuentes de agua en torno a los servicios ambientales que proveen a las ciudades. Los países de mayor desarrollo han puesto en operación políticas y programas de rescate de los cuerpos de agua que contaminaron durante su expansión urbano industrial, en un impulso que ha sido acompañado por las iniciativas de grupos organizados de la sociedad civil que han tomado conciencia del valor y los servicios que proporcionan esas valiosas fuentes de agua.

En países de menor desarrollo, las prácticas de vertido y alejamiento de las aguas residuales a través de cauces naturales, así como la contaminación de cuerpos de agua dulce y la degradación de ecosistemas que la contienen, aún siguen siendo muy normales. También siguen siendo "normales" los asentamientos sobre espacios que forman parte de los ecosistemas conectados de manera natural y dinámica con los cuerpos de agua, sin que éstos representen la valía de un recurso para el bienestar de la sociedad y quienes en su nombre toman las decisiones. Tales procesos y decisiones no están asociados a la noción de calidad de vida, sino a una racionalidad del uso de los espacios definida en términos de la eficiencia de la movilidad urbana y su exigencia de vialidades o rentabilidad inmobiliaria.

El vertido de aguas residuales y cualquier variedad de residuos contaminantes sobre ríos, arroyos y cañadas, sigue siendo una práctica común, lo mismo que el entubamiento de arroyos y manantiales, y la canalización de cauces de arroyos que han sido absorbidos por la urbanización o el relleno de cañadas para *ganar* espacio y dedicarlo a usos urbanos en el sentido antes mencionado.

Con frecuencia, esas prácticas muestran la irracionalidad con que se toman las decisiones en materia de abasto de agua, con inversiones cuantiosas para traer mayores volúmenes de lugares distantes, al mismo tiempo que se permite o se propicia el abatimiento de las fuentes locales que la proporcionan porque éstas se vuelven un riesgo potencial cuando son manejadas de manera inadecuada, para lo cual también se gastan recursos del erario.

Por fortuna, desde hace algún tiempo existe la preocupación, las propuestas y las acciones surgidas desde la sociedad orientadas a concientizar, tanto a sí misma como a las autoridades responsables, sobre la conveniencia de rescatar esas fuentes y restaurar el entorno para integrarlas como parte de lo que aporta calidad a la vida y al bienestar de los habitantes de las ciudades. Se trata de procesos que llevan tiempo para vencer la resistencia de un *establishment* que milita en las ideas de la rentabilidad para grupos que han hecho de la urbanización contaminante y depredadora su mejor negocio, asociados a políticos y funcionarios carentes de compromiso con su comunidad o muy permeables a la presión y al intercambio de favores. Afortunadamente, los gobernantes también pueden tener la capacidad para escuchar y ser receptivos a determinadas demandas de la comunidad, fundadas no sólo en los buenos deseos, sino en el análisis técnico y la rentabilidad social de los proyectos orientados a armonizar la relación de la comunidad con su entorno inmediato.

En esta brega hay de todo, menos soledad de quienes conscientes de lo valiosas que son las fuentes de agua y su aporte al bienestar social, mantienen viva la esperanza y luchan por una convicción que va más allá de ellos mismos. Ésa es la base de las buenas prácticas y los ejemplos por imitar. Así, la ciudad de Los Ángeles –para no ir demasiado lejos– surgió junto al río de ese nombre y muchos angelinos lo ignoran, pero después de una lucha de más de veinte años, las cosas empiezan a cambiar.

En referencia al estado que guarda ese río, como lo señala un reportaje publicado por la BBC,[1]

gran parte de sus 80 kilómetros parece más un basurero o una alcantarilla, y desde el aire es como una cicatriz de concreto que atraviesa el corazón de la urbe. Pero dos décadas después de que el grupo *Amigos del río Los Ángeles* fuera fundado por un poeta, la campaña para rescatar el río está empezando a ganar ventaja y su lugar en la ciudad está pasando de ser una monstruosidad a un tesoro.

El poeta Lewis MacAdams, quien lanzó la campaña, le comenta a la BBC:

Hemos estado trabajando durante 23 años para crear una vía verde para el río desde las montañas hasta el mar, con un Los Ángeles en el que se pueda nadar, pescar y navegar. Al principio pensé que todo lo que tenía que hacer era convencer a la gente de que podía ser mejor, pero rápidamente me di cuenta de que tenía que convencerlos de que el río existía.

---

1 Alastair Leithead. "El río que todos ven pero no saben que existe" en BBC *Mundo*, 4 de septiembre de 2011, en http://bbc.in/pXyvlh.

Las ciudades en todo el mundo han construido sobre lo más valioso de sus entornos naturales, convirtiendo sus ríos en cloacas, entubándolos para que no se vea el daño que se les ha causado y buscando rentabilizar los espacios que se les arrebataron a sus cauces. En tiempos de lluvias, los ríos recobran ímpetu y buscan sus cursos antiguos, amenazando a quienes han invadido sus territorios y obligando a los gobiernos a emprender acciones desesperadas para poner a salvo a la población y decir una vez más que no volverá a ocurrir. Los desastres están a la orden del día en cada temporada lluviosa, constatando lo dicho.

La ciudad de Tijuana no ha sido ajena a las formas de crecimiento ya mencionadas, como no lo han sido en general las ciudades mexicanas. Tijuana las exhibe de manera muy conspicua como resultado de su mayor ritmo de crecimiento, en un patrón marcado por la ausencia de planeación y la limitada efectividad de las autoridades para encauzar ese crecimiento dentro de parámetros que remitan a la calidad de vida como objetivo. En otras palabras, el crecimiento urbano de Tijuana ha estado determinado por su dinamismo demográfico, dentro de un tipo de gobernabilidad limitada en su capacidad para imponer el orden mediante la aplicación de la ley y los reglamentos, lo que ha provocado que la ciudad se extienda sobre cerros y cañadas, incluidos los cauces de los arroyos que conducen la escasa precipitación que ofrecen las lluvias invernales.

La ciudad cuenta con el río Tijuana, que fue canalizado desde los años 1970 después de las copiosas lluvias que arrasaron con la llamada *Cartolandia* y se integró al proyecto de modernización urbana de lo que ahora se conoce como zona del río, que pasó a representar el nuevo rostro de la ciudad vanguardista que ha sido y es la base de las visiones proyectadas de su propio futuro. Pero Tijuana también tiene el arroyo Alamar, que es una corriente intermitente y lánguida que sube su volumen en invierno y causa problemas a los moradores que se asientan en sus márgenes, retando a las leyes de la naturaleza y a las del hombre, convertidas en reglamentos de uso del suelo y permisos de construcción.

Las autoridades locales, con sus excepciones, no han visto en el Alamar un recurso ambiental o estético. Para ellas, el arroyo sólo aporta problemas de invasiones de terrenos, representa un espacio de la delincuencia, inundaciones y gastos de recursos en protección civil cada invierno. Por ello han optado por acortar su cauce, pavimentarlo y aprovechar el espacio ganado para construir vialidades que requiere una ciudad llena de autos y urgida de posicionarse en la escala de la productividad como ciudad competitiva. Un arroyo como parte de la ciudad, saneado y protegido no es importante para las autoridades, ni para muchos de los inversionistas que les acompañan, tampoco para una parte considerable de la población local. A veces no es mala fe ni ambición, sino ignorancia y visión de corto plazo, sólo eso.

Hay una especie de esquizofrenia entre los tomadores de decisiones de los distintos niveles de gobierno. Pronuncian discursos y suscriben documentos con los que se acercan a lo más vanguardista en protección ambiental y a los compromisos para asegurar los recursos a las generaciones siguientes; pero al mismo tiempo, toman decisiones que atentan en contra de la base de esos recursos y su sostenibilidad a largo plazo. La cercanía con un país en donde las cosas tienden a hacerse de manera distinta no significa nada para nuestros gobernantes, quienes siguen ajenos a las buenas prácticas de gobierno que implican escuchar a la gente que gobiernan. En el mejor de los casos se mueven dentro del modelo de las *tres i*: invitar, informar e ignorar. Ése ha sido el caso de las decisiones que se han tomado con la canalización del Alamar. Tan sólo al cruzar la frontera, dentro de la misma cuenca y en el mismo espacio entre los dos países, los arroyos y cauces por los que viaja el agua hacia la costa son protegidos y se busca mantenerlos salubres e integrados a los parámetros de la calidad de vida de la población.

Este libro es un aporte de un grupo de investigadores de El Colegio de la Frontera Norte – y sus egresados de los programas de posgrado–, de la Universidad Autónoma de Baja California en su campus de Tijuana, del Centro de Investigación Científica y Estudios Superiores de Ensenada. Juntos hicimos el esfuerzo de pensar y estudiar diversos aspectos sobre ese arroyo convertido en vertedero de una parte de Tijuana, el cual se debate entre las decisiones burocráticas y las omisiones de quienes vivimos en esta ciudad. Si un día existe la voluntad de integrarlo como un recurso, ha de ser porque los habitantes tomaron conciencia de lo que representa el Alamar para su calidad de vida, y seguramente porque el gobierno local fue encabezado por personas sensibles decididas a acompañar la voluntad de los ciudadanos en acciones de política valiosas, porque se trata de un bien común que nos trasciende.

Aprovecho para solicitar una disculpa a los autores por los contratiempos que ha tenido el largo proceso que ha implicado llegar a la publicación del libro y les agradezco la confianza que espero aún tengan en mí. También se agradece aquí el apoyo de El Colegio de la Frontera Norte, así como del Consejo Nacional de Ciencia y Tecnología que apoyó con su patrocinio al proyecto que permitió, a su vez, apoyar la elaboración de algunas tesis de maestría en las que trabajaron estudiantes ahora convertidas en brillantes profesionales especializadas en temas urbanos y ambientales. Un reconocido agradecimiento también a Carmen Gavilanes y Natalia Espinosa por su apoyo en la edición y corrección de los trabajos.

La cuenca del arroyo Alamar

*Hugo Riemann**

La cuenca hidrográfica del río Tijuana, localizada en el noroeste de estado de Baja California, con una extensión de 4,465 km², comprende una amplia red de drenaje que se distribuye a ambos lados de la frontera internacional que desemboca en el estuario Tijuana al sur de la ciudad Imperial Beach, en un área de conservación a cargo del *California State Parks System* (Sistema de Parques de California) y el US *Fish and Wildlife Service* (Servicio de Pesca y Vida Silvestre de los Estados Unidos). La cuenca del río Tijuana está conformada por 12 subcuencas, dos de éstas de carácter binacional: la subcuenca del arroyo Campo Creek y la subcuenca del arroyo Alamar (SDSU, 2005).

Con una extensión de 350 km², la subcuenca del arroyo Alamar representa 7.8% del total de la cuenca del río Tijuana. Ésta se distribuye entre las latitudes 32° 30' 03" N en Baja California y 32° 44' 82" N en el estado de California, y entre las longitudes extremas 116° 31' 55" W y 116° 57' 51" W, en un rango altitudinal de 1,111 m con una elevación máxima de 1,153 m en el parteaguas con la subcuenca Campo Creek y una mínima de 42 m en la desembocadura en donde el arroyo Alamar alimenta la canalización del río Tijuana dentro del zona urbana. Tiene una longitud máxima de 42 km en dirección azimutal 249.83° y un ancho máximo de 17.4 km en dirección 146.31°, y un perímetro de 144.5 km. 25% de la cuenca del Alamar (87.44 km²) abarca territorio mexicano (Plano 1). Las principales elevaciones en el lado mexicano las constituyen los cerros La Avena (500 m), San Isidro (850 m) y El Pilón (450 m), (INEGI, 1985).

La cuenca del arroyo Alamar (CAA), o Lower Cottonwood Creek por su designación en California, no alcanza el parteaguas de máxima

* El Colegio de la Frontera Norte, Departamento de Estudios Urbanos y Medio Ambiente. Correl: riemann@colef.mx.

Agradezco a la Unidad de Servicios Estadísticos y Geomática (USEG) de El Colegio de la Frontera Norte AC por la información cartográfica proporcionada.

Plano 1
Cuenca del arroyo Alamar

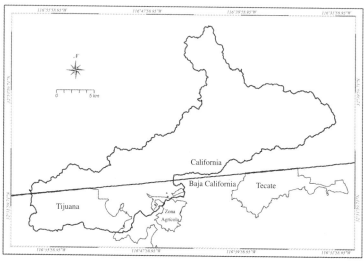

Fuente: Elaboración propia, con base en SDSU (2005).

altitud dentro de la cuenca del río Tijuana, lo que implica que la dinámica natural de escurrimientos, arrastre y depósito de material está subordinada a otras redes de drenaje o subcuencas que se localizan a mayor altitud y descargan en ella. En California, las subcuencas Upper Cottonwood y Pine Valley confluyen en la presa Barret, que a su vez alimenta al Lower Cottonwood. En Baja California, el arroyo Alamar es alimentado por las descargas de la subcuenca Campo Creek que descarga a una altitud de 173 m al oeste de la ciudad de Tecate, en el límite internacional.

Aspectos naturales

Geología

La cuenca del Alamar presenta ocho sustratos geológicos. Abundan en ésta las formaciones del Mesozoico (Jurásico y Cretácico) que representan 77% de la superficie total (Cuadro 1). La parte alta de la cuenca se caracteriza por las formaciones del Cretácico, predominando los granitos de la cordillera peninsular que rodean intrusiones de gabro del Cretácico (SDSU, 2005). Los sustratos geológicos más antiguos se

Plano 2
Hidrografía de la subcuenca El Alamar y superiores

1) Arroyo Alamar. 2) Pine Valley. 3) Upper Cottonwood. 4) Campo Creek. 5) Lago Corte Madera. 6) Presa Morena. 7) Presa Barrett. 8) Frontera internacional.

Fuente: Modificado de SDSU (2005).

Cuadro 1
Formaciones geológicas presentes en la cuenca El Alamar

Periodo	Formación	Km²
Cuaternario	Aluvión	8.42
Cuaternario	Terrazas fluviales y erosión de laderas	10.43
Cuaternario	Terrazas marinas	23.52
Terciario	Sedimentos marinos del Plioceno	25.11
Terciario	Volcánico	11.81
Cretácico	Gabro	15.03
Cretácico	Granítico cordillera peninsular occidental	175.48
Jurásico	Volcánico metamórfico	81.07
Total		350.87

Fuente: SDSU (2005).

Cuadro 2
Geomorfología de la cuenca El Alamar

Geoformas	Km^2
Montañas de pendientes moderadas a fuertes	152.14
Superficies diversificadas cubiertas de bloques	45.91
Superficies elevadas de mesas marinas	36.24
Superficies erosionales onduladas	25.95
Planicies y valles aluviales	18.27
Cerros altos con pendientes moderadas a fuertes	15.05
Cerros bajos de pendientes suaves	13.83
Abanicos aluviales, piedemonte y superficies bajas y disectadas	13.15
Superficies y domos marinos antiguos disectados y elevados	10.59
Terrazas aluviales	7.99
Cerros altos con pendientes suaves	6.83
Cañones y valles disectados	2.73
Depresiones aluvio-coluviales	1.10
Depresiones erosionales	0.57
Total	350.36

Fuente: SDSU (2005).

distribuyen en la mayor parte norte de la cuenca media, en donde se presentan las rocas metamórficas volcánicas del Jurásico. En la parte sur de la cuenca baja, ya en territorio mexicano, se localizan sustratos volcánicos más recientes que corresponden al periodo Terciario.

En la cuenca baja y en el extremo sur de la cuenca media se localizan los sustratos del Cuaternario que dan cuenta de la historia geológica reciente del Alamar. Las terrazas marinas, evidencia de antiguos fondos marinos, se localizan en los extremos norte y sur de la cuenca baja dando forma al parteaguas de la subcuenca. Las terrazas fluviales, producto de material de arrastre de antiguos cauces, se presentan bordeando los sustratos de aluvión a lo largo del cauce del Alamar dentro de la zona urbana.

Geomorfología

La subcuenca del Alamar presenta 14 geoformas (SDSU, 2005). Predominan en 43% las montañas de pendientes moderadas a fuertes, seguido de las superficies diversificadas cubiertas de bloques en 13%

de la cuenca que se localizan en la parte alta. 84% de la cuenca presenta condiciones no propicias para desarrollos urbanos o actividades agrícolas. El restante 16% compuesto de terrazas aluviales, piedemonte, colinas de pendientes suaves, ha sido transformado en campos agrícolas, áreas residenciales o industriales (Cuadro 2).

Hidrología

El área de las cuatro subcuencas que confluyen en el río Tijuana suman una superficie de 1,387 km^2 (Figura 2). Los escurrimientos de las subcuencas Upper Cottonwood y Pine Valley drenan a las presas Barret y Morena que suministran agua a la ciudad de San Diego. La captura de los escurrimientos por estas presas determina que el área de la *cuenca libre* representa una superficie de 767.17 km^2. Desde su construcción en 1912 la presa Morena ha desbordado en los años 1916, 1917, 1927, 1928, 1939-44, y 1980-84, aumentando la superficie de la cuenca Alamar en 307.04 km^2. La presa Barrett, puesta en operación en 1922, ha rebasado su nivel máximo en los años 1927, 1937, 1938, 1939, 1941-43, 1979-84, 1993, 1994, 1995, y 1998, aumentando el área de la cuenca en 312.89 km^2.

La Comisión Nacional del Agua, en su estudio hidrológico de 1993, propone la delimitación de la zona federal sobre la base de una descarga de 801.21 m^3/s, de los cuales 551 m^3/s corresponden a la cuenca libre con periodos de retorno de 50 años y un desvase de 250.21 m^3/s de la presa Barrett (CONAGUA, 1993). La misma Comisión en un estudio posterior (CONAGUA, 1994) determina que la delimitación de la zona federal se lleve a cabo con una descarga de 550 m^3/s, con periodos de retorno de diez años y sin tomar en cuenta los desvases de la presa Barrett. En un estudio más reciente, Ponce (2003) propone que el área de descarga sea delimitada con base en periodos de retorno de diez años y descargas no menores a 680 m^3/s. De acuerdo con este mismo autor, la reglamentación existente permite considerar periodos de retorno de 50 a 200 años para zonas agrícolas pobladas con descargas no menores a 1,140 m^3/s y tan altas como 1,420 m^3/s.

Clima

El clima de tipo mediterráneo de la cuenca Alamar es característico de las costas oeste de los continentes entre las latitudes de 30° y 45°. Está determinado por las corrientes marinas, el viento y el efecto de surgencia de las aguas frías profundas como consecuencia de la inercia produ-

Cuadro 3
Tipos de vegetación

Tipo de vegetación	Km²
Chaparral	183.61
Matorral costero	59.86
Matorral costero alterado	14.23
Chaparral alterado	9.18
Pastizal	4.96
Zona arbolada de encino	4.29
Bosque de cipreses	3.70
Matorral costero con chaparral	2.84
Vegetación riparia de encino	2.55
Matorral ripario	2.22
Encinar	1.31
Matorral ripario alterado	0.63
Vegetación riparia	0.24
Vegetación riparia alterada	0.20
Humedal alterado	0.17
Vegetación de suelo alcalino	0.11
Vegetación dulceacuícola alterada	0.07
Vegetación de árboles riparios	0.06
Vegetación dulceacuícola	0.04
Total	290.27

Fuente: SDSU (2005).

cida por la rotación terrestre, que produce una corriente superficial en dirección este a oeste contrario al de las aguas profundas. La presencia de estas corrientes frías condiciona en las zonas costeras veranos secos e inviernos lluviosos, característicos de los climas mediterráneos.

La temperatura presenta una amplia variación a consecuencia de las diferencias de altitud entre la desembocadura y el parteaguas. En general, la temperatura disminuye 1°C por cada 100 m de elevación, lo que da por resultado que los vientos provenientes del Pacífico cargados de humedad precipiten por condensación al ascender hacia las partes altas.

En el área que circunscribe a la cuenca hay pocas estaciones climatológicas, por lo que para describir el clima se han tomado las variables climáticas de precipitación y temperatura para áreas de 30 segundos de arco del modelo climático de *WorldClim* (2011) documentado en Hijmans *et al.* (2005).

La temperatura media anual presenta un rango de 13.7°C a 18.1°C, con un rango medio diurno de 5.6 °C. La temperatura mínima en el mes más frío es menor a 0°C en las partes más elevadas y de 6°C en las partes bajas. La temperatura máxima en el mes más cálido puede oscilar, dependiendo de la altitud, entre 28°C y 33°C. El rango anual de temperatura, calculado como la diferencia de temperatura entre el mes más cálido y el más frío, puede superar los 30°C. La precipitación media anual es de 355.6 mm, con valores máximos de 568 mm en el extremo norte y mínimos de 210 mm en la parte baja y urbana de la cuenca. El volumen de agua que se precipita en un año promedio en la cuenca del Alamar, de acuerdo al modelo utilizado, es de 140 hm³.

Vegetación y flora

La vegetación de la región ha sido descrita por varios autores (Delgadillo, 1998; Minnich y Franco-Vizcaíno, 1997; Wiggins, 1980). Los tipos de vegetación predominantes, tanto en buen estado de conservación como alterados, son el chaparral y el matorral costero, que representan 92% de la superficie vegetada (Cuadro 3). En estos dos tipos de vegetación se localiza un importante número de especies vegetales clasificadas como raras por su baja abundancia o endémicas por su limitada distribución (Wiggins, 1980; Riemann y Ezcurra 2005, 2007; ver Cuadro 8). Los tipos de vegetación de chaparral y matorral costero, junto con la vegetación dulceacuícola característica de las charcas o lagunitas estacionales, no están presentes en ninguna área protegida de Baja California. Este último tipo de vegetación representa el reservorio más importante de flora endémica y nativa de vegetación dulceacuícola en la región mediterránea del estado y, a su vez, es el que presenta el mayor riesgo de desaparición debido su carácter efímero y a su limitada distribución, ya que se localiza en terrenos planos de baja pendiente que se inundan durante el periodo de lluvias y en las semanas posteriores. Dentro de la CAA, este tipo de vegetación ocupó originalmen-

Cuadro 4
Uso del suelo en la parte mexicana de la cuenca El Alamar

Uso	N° de áreas	Ha
Agrícola	34	98.95
Ganadero	3	29.21
Industria extractiva	4	23.42
Industria maquiladora	17	620.00
Energía	1	0.39
Servicios diversos	19	116.33
Transporte	14	59.40
Comercial	27	50.01
Reciclado de autos	15	27.95
Aduana y Consulado	2	17.49
Depósito de escombro	18	16.72
Recolección de papel y cartón	8	6.85
Cementerios	2	3.84
Uso múltiple*	26	114.30
Terreno alterado sin uso aparente	218	912.36
Total	436	2,097.22

* Áreas en donde se llevan a cabo actividades que incluyen dos o tres sectores económicos.

Fuente: Elaboración propia a partir de imágenes de satélite y registro en campo.

te la zona de la mesa de Otay, hoy transformada en área urbana y de servicios aeroportuarios.

En particular, las especies vegetales son las que presentan mayor número de endemismos, algunos de los cuales se distribuyen en áreas menores a un kilómetro cuadrado. La Provincia Florística Californiana (PFC) –que se extiende desde el estado de Oregon, en Estados Unidos, hasta la región de El Rosario, en la parte media del estado de Baja California– constituye un corredor biológico para especies migratorias que aportan, entre otros servicios, el de polinización, fundamental para la permanencia de los ecosistemas que recorren. La cuenca del Alamar en territorio mexicano, en la región entre la zona urbana de Tijuana y la ciudad de Tecate, cuenta aún con áreas de vegetación natural en las que están presentes especies que se consideran amenazadas, endémicas o raras por su baja abundancia (Cuadro 8).

Uso del suelo

La porción de la cuenca que se distribuye en California tiene poco desarrollo, con áreas agrícolas, recreativas y residenciales dispersas, que en conjunto representan menos de 5% de la parte estadounidense de la cuenca, por lo que en la mayor parte de esta porción de la cuenca los sistemas naturales se conservan aún en buen estado. La mayor transformación del paisaje natural en la parte estadounidense de la cuenca se localiza en la parte baja a lo largo de la frontera internacional, en donde los terrenos planos de la Mesa de Otay están dedicados a actividades agropecuarias y del sector terciario, estas últimas derivadas de la actividad de la garita internacional.

Uso del suelo en el territorio de Baja California

De los 87.44 km² que la CAA ocupa en territorio mexicano, 46% conserva aún vegetación original con un grado de alteración de mínimo a severo (Cuadro 3). Las áreas con menor impacto son las que se localizan hacia el este, alejadas del núcleo urbano y en terrenos poco aptos para el aprovechamiento agropecuario o urbano (Plano 3). En la parte urbana de la cuenca se llevan a cabo actividades de los tres sectores económicos (Cuadro 4). Dentro de ésta, 6% del suelo está dedicado a actividades del sector primario, con establos y una agricultura de temporal que se irriga con los escurrimientos del Alamar y que está sujeta a la contaminación urbana y del propio arroyo al que descargan efluentes industriales y drenaje urbano (Rentería y Riemann, 2007).

Plano 3
Uso del suelo

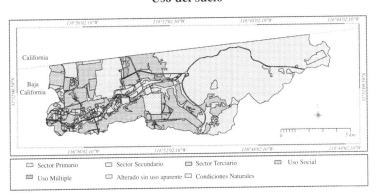

Fuente: Elaboración propia con base en imágenes de satélite y verificación en campo.

La industria extractiva y maquiladora en el sector secundario ocupa 30% de suelo. El sector terciario es el más diverso, y ocupa 17% de la mancha urbana. No fue posible asociar a 218 áreas en ningún sector económico, consideradas sin uso aparente (Cuadro 4).

El uso del suelo con fines sociales ocupa una extensión equivalente al de los tres sectores económicos (Cuadro 5). El uso habitacional del suelo representa 94%, mientras que el destinado a fines educativos, recreativos y deportivos representa 6% restante del uso social del suelo.

En el Programa de Desarrollo Urbano del Centro de Población de Tijuana (PDUCPT, 2002) se especifican tres categorías de áreas no aptas para ser urbanizadas:

- *Áreas de conservación* con valor histórico, cultural o ambiental que resulten de beneficio para la comunidad.
- *Áreas de protección* que tienen como objeto preservar las características del medio natural o que representan riesgos de inundación o deslizamientos de tierras.
- *Áreas de preservación ecológica* que tienen como propósito conservar la flora y fauna nativa y endémica, así como conservar la dinámica de los ecosistemas naturales.

Estas tres categorías representan 20% de la superficie de la CAA (Cuadro 6); sin embargo, la superficie que aún se conserva con un bajo deterioro rebasa las 4 mil hectáreas, lo que permitiría aumentar casi en cuatro veces la superficie dedicada a conservación, protección y preservación. La mayor extensión se localiza al este de la zona urbana en vegetación de chaparral, matorral costero y encinares. La vegetación riparia se localiza a lo largo de los cauces de segundo y tercer orden y a lo largo del cauce principal dentro de la zona urbana (Plano 3 y Cuadro 7).

Riesgos de origen natural

Geológicos

La continua separación de la península de Baja California del continente –en un proceso de más de cinco millones de años– ha dado lugar a un sistema de fallas y fracturas activas que en ocasiones producen violentos deslizamientos que se traducen en sismos de considerable magnitud, como el ocurrido el 4 de abril de 2010 a lo largo de la falla de Laguna Salada. En la parte mexicana de la cuenca se localizan 31 fallas geológicas con longitudes que van de 250 metros a más de cinco kilómetros. Las tres de mayor longitud tienden con dirección noreste-suroeste y se localizan dentro de la zona urbana en terrenos de uso habitacional, mientras que once se ubican hacia la parte este de la zona urbana en terrenos que están siendo convertidos rápidamente en nuevos fraccionamientos. El resto de las fallas se localizan alrededor y al norte del cerro La Avena, en terrenos aún no urbanizados.

Incendios

Los veranos secos, característicos de los climas mediterráneos, crean un ambiente propicio para los incendios. De manera natural las vegetaciones de chaparral y de coníferas se renuevan con incendios periódicos; de hecho, numerosas especies requieren del fuego para que sus semillas germinen (Minnich y Chou, 1997; Minnich y Bahre, 1995). Cuando se presentan de manera ocasional en condiciones naturales, los incendios eliminan la acumulación excesiva de materia orgánica seca en el suelo, esterilizan el suelo superficial y resulta en un control natural de plagas de invertebrados. Cuando se controla la propagación de fuegos por periodos largos se promueve una acumulación excesiva de combustible en el suelo, lo que ocasiona efectos contraproducentes de fuegos incontrolables y devastadores (Minnich, 1989), como los ocurridos en 2003 y 2007.

Precipitaciones extraordinarias

El crecimiento de la ciudad de Tijuana ha traído como consecuencia que el drenaje natural de la cuenca quede bloqueado por las obras de infraestructura. En los años de precipitaciones extraordinarias, el volumen de agua rebasa la capacidad de desahogo del drenaje pluvial, ocasionando áreas de inundación en las partes bajas de la cuenca y a lo largo del cauce del arroyo Alamar, como sucedió en 1993 (Bocco *et al.*, 1993). A lo anterior se suma el hecho que muchos desarenadores son usados por la población como depósitos de basura, lo que reduce aún más la capacidad de desahogo del drenaje pluvial.

Durante los periodos de precipitaciones extraordinarias, la ocurrencia de lluvias durante días consecutivos ocasiona que la capacidad de drenaje e infiltración del suelo sea rebasada por la acumulación de agua y el sustrato se sature, ocasionando deslizamientos de lodos y rocas hacia las partes bajas. Este riesgo se ve magnificado por la remoción de la cubierta vegetal, que deja la capa superficial del suelo desprovista de raíces que retienen el suelo. Los sustratos con mayor riesgo de presentar deslizamientos y remoción en masa son las terrazas marinas y fluviales, así como los sustratos sedimentarios del Terciario (Bocco *et al.*, 1993).

Cuadro 5
Uso social del suelo en la parte mexicana de la cuenca El Alamar

Uso de suelo	N° de áreas	Ha
Recreativo	15	47.68
Deportivo	15	48.55
Educativo	29	66.18
Habitacional	143	2,408.37
Total	202	2,570.78

Fuente: Elaboración propia a partir de imágenes de satélite y registro en campo.

Cuadro 6
Áreas no urbanizables dentro de la cuenca El Alamar

Tipo de área	Ha
Áreas de conservación	210
Áreas de protección	400
Áreas de preservación ecológica	1,146
Total	1,755

Fuente: IMPLAN (2007).

Cuadro 7
Áreas con naturalidad

Sistema natural	N° de áreas	Ha
Vegetación riparia	12	86.95
Vegetación no riparia	11	3 965.18
Cauce Alamar	1	3.92
Cuerpo de agua	6	7.08
Total	30	4,063.13

Fuente: Elaboración propia a partir de imágenes de satélite y registro en campo.

Cuadro 8
Especies vegetales endémicas, raras o amenazadas presentes en la cuenca El Alamar

Familia	Especie
Alliaceae	Allium peninsulare
Apiaceae	Lomatium lucidum
Apiaceae	Sanicula tuberosa
Asteraceae	Bahiopsis laciniata
Asteraceae	Centromadia parryi australis
Asteraceae	Coreopsis maritima
Asteraceae	Deinandra paniculata
Asteraceae	Helianthus gracilentus
Callitrichaceae	Callitriche marginata
Crassulaceae	Crassula solieri
Grossulariaceae	Ribes speciosum
Hyacinthaceae	Chlorogalum parviflorum
Hydrophyllaceae	Eriodictyon trichocalyx
Lamiaceae	Lepechinia ganderi
Lamiaceae	Salvia munzii
Lamiaceae	Trichostema lanceolatum
Liliaceae	Calochortus weedii peninsularis
Onagraceae	Epilobium pygmaeum
Poaceae	Deschampsia danthonioides
Polemoniaceae	Navarretia fossalis
Pteridaceae	Cheilanthes clevelandii clevelandii
Rhamnaceae	Ceanothus otayensis
Rubiaceae	Galium porrigens porrigens
Scrophulariaceae	Scrophularia californica floribunda
Themidaceae	Brodiaea terrestris kernensis
Themidaceae	Muilla maritima

Fuente: Elaboración propia a partir de SDNHM (2011).

Proyecto de canalización

La conservación de la cubierta vegetal de esta región bajo alguna de las formas de protección establecidas por la Comisión Nacional de Áreas Naturales Protegidas (CONANP, 2011), o en su defecto bajo un régimen de conservación de tierras privadas (Pronatura, 2002), permitiría no sólo conservar el capital biológico, sino también el acuífero del Alamar y evitaría un mayor aporte de sedimentos a la zona urbana, el azolvamiento del drenaje urbano y el depósito de suelo a lo largo de las vialidades. Asimismo, frenaría la expansión de la mancha urbana hacia zonas de riesgo por fallas y fracturas geológicas. Por otro lado, la construcción de un parque urbano a lo largo del cauce –tal como se ha propuesto (Ponce *et al.*, 2004b)– tendría múltiples beneficios, pues además de contar con un área de recreación y esparcimiento permitiría reducir los riesgos de deslizamiento de tierra e inundaciones hacia las zonas habitacionales; permitiría además mantener el proceso de infiltración de canal a lo largo del cauce siempre y cuando éste no fuese revestido de concreto y se utilizara un sistema de gaviones con vegetación, como ya se ha recomendado (Ponce *et al.*, 2004a).

En mayo de 2011, la Comisión Nacional del Agua dio inicio a la obra de infraestructura para canalizar 10.5 km del arroyo Alamar, propuesta por el Instituto Metropolitano de Planeación (IMPLAN, 2007). Sin embargo, aun cuando esta obra y otras propuestas se perciben desde la óptica de la infraestructura ambiental y urbana como benéficas, conllevan costos de gobernabilidad altos ya que implican, entre otras acciones, el desalojo y reubicación de las más de 300 familias que están allí asentadas (ver Santes-Álvarez en este mismo libro).

Bibliografía

BOCCO, Gerardo, Roberto SÁNCHEZ y Hugo RIEMANN. "Evaluación del impacto de las inundaciones en Tijuana (enero de 1993). Uso integrado de percepción remota y sistemas de información geográfica" en *Frontera Norte*, Vol. V, N° 10, Tijuana, El Colegio de la Frontera Norte, julio-diciembre, 1993, pp. 53-83.

COMISIÓN NACIONAL DEL AGUA (CONAGUA). *Cuenca arroyo El Alamar, Tijuana, BC. Estudio hidrológico*. Ensenada, CONAGUA, 1993.

——— . *Datos hidrológicos, arroyo Alamar, Tijuana*. Mexicali, CONAGUA, 1994.

COMISIÓN NACIONAL DE ÁREAS NATURALES PROTEGIDAS (CONANP). SEMARNAT, 2011, en http://www.conanp.gob.mx/

DELGADILLO, José. *Florística y ecología del norte de Baja California*, Mexicali, Universidad Autónoma de Baja California, 1998.

HIJMANS, Robert J.; Susan E. CAMERON; Juan L. PARRA; Peter G. JONES y Andy JARVIS. "Very High Resolution Interpolated Climate Surfaces for Global Land Areas" en *International Journal of Climatology*, Vol. XXV, N° 15, Reading, Royal Meteorological Society, diciembre de 2005, pp. 1965-1978.

IMPLAN. *Programa parcial de desarrollo urbano del arroyo Alamar 2007-2018, versión abreviada*, Tijuana, Instituto Municipal de Planeación, 2007.

INEGI. *Carta topográfica 1:50,000 Murúa I11D61*, ciudad de México, INEGI/SPP, 1985.

MINNICH, Richard A. "Chaparral Fire History in San Diego County and Adjacent Northern Baja California: An Evaluation of Natural Fire Regimes and the Effects of Suppression Management" en Sterling C. Keeley (ed). *The Chaparral: Paradigms Reexamined*, Los Angeles, Natural History Museum of Los Angeles County, 1989, pp. 37-47.

——— y Conrad J. BAHRE. "Wildland Fire and Chaparral Succession along the California-Baja California Boundary" en *International Journal of Wildland Fire*, Vol. V, N° 1, International Association of Wildland Fire/Commonwealth Scientific and Industrial Research Organisation, 1995, pp. 13-24 .

——— y Ernesto FRANCO-VIZCAÍNO. "Mediterranean Vegetation of Baja California" en *FREMONTIA*, Sacramento, Califonia Native Plant Society, Vol. XXV, N° 1, enero de 1997, pp. 3-12.

——— y Yue Hong CHOU. "Wildland Fire Patch Dynamics in the Chaparral of Southern California and Northern Baja California" en *International Journal of Wildland Fire*, Vol. VII, N° 3, International Association of Wildland Fire/Commonwealth Scientific and Industrial Research Organisation, 1997, pp. 221-248.

PDUCPT. *Programa de desarrollo urbano del centro de población de Tijuana, BC, 2002-2025*, Tijuana, Secretaría de Desarrollo Urbano Municipal, 2002.

PONCE, Víctor Miguel. *Flood Hydrology of the Binational Cottonwood Creek-Arroyo Alamar, California and Baja California*, San Diego, San Diego State University, 2003, en http://alamar.sdsu.edu/alamar/alamarenglish.html. Consultado: 9 mayo 2011.

——— ; Ana Elena ESPINOZA; José DELGADILLO; Alberto CASTRO y Ricardo CELIS. *Hydroecological Characterization of Arroyo Alamar, Tijuana, Baja California, Mexico*, San Diego, San Diego State University, 2004a, en http://bit.ly/12GVWCy. Consultado: 8 mayo 2011.

——— ; Ana Elena ESPINOZA; Pietro MAGDALENO; Alberto CASTRO y Ricardo CELIS. *Arquitectura fluvial sustentable en el arroyo Alamar, Tijuana, Baja California, México*, San Diego, San Diego State University, 2004b, en http://bit.ly/10YoJpW. Consultado: 12 mayo 2011.

PRONATURA. *Herramientas legales para la conservación de tierras privadas y sociales en México*, ciudad de México, Pronatura, 2002.

RENTERÍA, Yunia S. y Hugo RIEMANN. "Deterioro de la salud ambiental asociado a la industria maquiladora y su repercusión sobre los habitantes de la colonia Chilpancingo de Tijuana, México" en Vicente Sánchez Munguía (coord). *Gestión ambiental y de recursos naturales en México. Los modos imperantes*, Tijuana/Puebla, El Colegio de la Frontera Norte/Red Nacional de Investigación Urbana, 2007, pp. 97-122.

RIEMANN, Hugo y Exequiel EZCURRA. "Plant Endemism and Natural Protected Areas in the Peninsula of Baja California, Mexico" en *Biological Conservation*, N° 122, marzo de 2005, pp. 141-150.

——— y Exequiel EZCURRA. "Endemic Regions of the Vascular Flora of the Peninsula of Baja California, Mexico" en *Journal of Vegetation Science*, Vol. 18, N° 3, junio de 2007, pp. 327-336.

SDNHM. *San Diego Natural History Museum Collections*, San Diego, SDNHM, 2011.

SDSU. *Tijuana River Watershed Atlas*, San Diego, San Diego State University, 2005.

WIGGINS, Ira L. *Flora of Baja California,* Palo Alto, Stanford University Press, 1980.

WORLDCLIM, 2011. "Data for Current Conditions (~1950-2000)" en *WorldClim: Global Climate Data*, en http://www.worldclim.org/current. Consultado: 2 mayo 2011.

Calidad de agua en el acuífero del arroyo Alamar

Fernando T. Wakida Kusunoki*
Teresita de Jesús Piñón Colín**

A través de la historia, el uso de aguas subterráneas ha sido de suma importancia como fuente de agua potable. Ya en el libro Génesis del Antiguo Testamento se hace referencia frecuente a la construcción de pozos y a los consecuentes problemas legales o políticos (Custodio y Llamas, 1996). El agua subterránea es un importante recurso hídrico en nuestro país. Aproximadamente 35% del consumo total de agua proviene de aguas subterráneas, y alrededor de 65% del agua para abastecimiento público urbano y doméstico proviene de los acuíferos (CONAGUA, 2003).

Nuestra región tiene un alto índice de aridez, escasos recursos de agua superficial y volúmenes muy limitados de aguas subterráneas, se hace indispensable un aprovechamiento, manejo y uso de este recurso en una forma sustentable. El crecimiento en la demanda del agua ha causado que los recursos hídricos locales sean insuficientes para el abastecimiento de la ciudad, por lo que casi la totalidad del agua consumida en la ciudad es importada de otras cuencas. Más de 90% del abastecimiento del agua de Tijuana proviene de la cuenca del río Colorado, por ello el bombeo de agua hasta esta ciudad requiere de cuantiosas erogaciones de recursos presupuestarios. Es muy probable que el recurso hídrico disponible para la región no se incremente al mismo ritmo que la demanda, lo que hace que la protección, aprovechamiento y reuso de estos recursos sea más importante día con día. Una herramienta fundamental para el buen manejo de los recursos hídricos disponibles es el conocimiento de su calidad actual para proponer medidas correctivas o de protección.

La degradación ambiental, y en particular el deterioro de la calidad de los recursos hídricos en zonas urbanas de los países en desarrollo,

---

*   Universidad Autónoma de Baja California, campus Tijuana, Facultad de Ciencias Químicas. Correl: fwakida@uabc.edu.mx.
** Universidad Autónoma de Baja California, campus Tijuana, Facultad de Ciencias Químicas.

se deben en gran parte a la falta de servicios públicos como el servicio de drenaje sanitario y el posterior tratamiento de las aguas residuales. En Tijuana este problema se agravó en la década de 1980, cuando se generaron conflictos binacionales entre Estados Unidos y México debido a la falta de control de las aguas residuales de la ciudad que terminaban en el cauce del río Tijuana que desemboca del lado estadounidense. Se calcula que para la década de 1990 se descargaban alrededor de 350 litros por segundo de aguas residuales sin tratar en Tijuana (Sánchez, 1993).

Uno de los primeros estudios sobre la calidad de agua del río Tijuana fue llevado a cabo por Conway *et al.* (1985), en donde se analizó la calidad microbiológica en diferentes sitios, encontrándose concentraciones de coliformes totales entre 1,365,000 a 1,510,00 NMP/100 ml (número más probable) y de coliformes fecales entre 1,290,000 a 1,450,000 NMP/100 ml, lo que indicaba que el agua del río Tijuana tenía un alto contenido de aguas residuales sin tratar. En contraste, un estudio reciente realizado por Hurtado Ayala (2008) analizó la calidad microbiológica del río Tijuana y de los escurrimientos que desembocan en el mismo. Se encontró un intervalo de coliformes totales entre 1 y 530,000 UFC/100 ml (unidades formadoras de colonias) en los escurrimientos que desembocaban en el río, y un intervalo de concentraciones de coliformes totales en la corriente del río entre 2 y 450,000 UFC/100 ml, y entre 2 y 40 UFC/100 ml de coliformes fecales. Aunque los estudios utilizaron diferentes métodos para la cuantificación de microorganismos, los resultados de este estudio muestran que la calidad de agua del río Tijuana ha mejorado debido al aumento de la capacidad de tratamiento de agua residual en la ciudad de Tijuana. No obstante, la autora establece que las concentraciones más altas de microorganismos se observaron en la zona denominada Pueblo Viejo –en donde carros tanque ("pipas") realizan descargas ilegales de aguas residuales provenientes de fosas sépticas– y en la zona en donde confluye el río Tijuana con el arroyo Alamar.

El arroyo Alamar es parte de la cuenca del río Tijuana, una cuenca compartida por los Estados Unidos y México. Este arroyo es formado por el Cottonwood Creek (arroyo Cottonwood) que se origina en Estados Unidos y el río Tecate. Posteriormente, el llamado arroyo Alamar confluye con el río Tijuana dentro de la zona urbana de la ciudad del mismo nombre.

El flujo del arroyo en época de estiaje es aportado en su mayoría por descargas de plantas tratadoras de aguas residuales ubicadas en Tecate. El promedio de flujo de descarga de la planta municipal de tratamiento de aguas residuales de Tecate es de 150 l/s más 20 l/s de la descarga proveniente de una cervecería. El tratamiento del agua residual en la planta municipal de Tecate es deficiente, ya que descarga un efluente de muy baja calidad.

En el periodo de 2002 al 2004 el promedio de la demanda bioquímica de oxígeno (DBO) fue de 183 mg/l (Ponce, 2004), contrariamente a la calidad de agua descargada por una planta cervecera cuyo promedio fue de 23 mg/l en el mismo periodo. La capacidad de autopurificación del arroyo permite que, en un recorrido de aproximadamente 19 km aguas abajo de la descarga de la planta tratadora de aguas residuales de la ciudad de Tecate (Figura 1), la calidad de agua mejore considerablemente (Rodríguez-Ventura *et al.* 2005), observándose una reducción de 60% en la DBO y de 70% en la demanda química del oxígeno (DQO) en ese punto. Sin embargo, esta calidad de agua se deteriora en el punto de la caseta de cobro de la carretera Tijuana-Tecate, y aún más cuando entra a la zona de asentamientos irregulares de la ciudad de Tijuana con las descargas de aguas residuales no tratadas y la basura depositada en su cauce.

La naturaleza del acuífero del arroyo Alamar es aluvial con niveles estáticos entre 1 a 10 metros, se constituye por depósitos fluviales muy permeables, cuyo espesor supera los 300 metros con intercalación de una capa de arcilla de unos 100 metros de espesor (CONAGUA, 1979). Los pozos utilizados por la Comisión Estatal de Servicios Públicos de Tijuano (CESPT) localizados en la zona se dejaron de utilizar en 1991, debido a la contaminación presente en el agua extraída de los mismos.

Fuentes de contaminación

Las fuentes de contaminación en zonas urbanas pueden ser puntuales o difusas. Las puntuales son aquellas en donde el origen de la contaminación puede ser localizado fácilmente en un punto, como una descarga de agua residual. Por otro lado, las fuentes difusas son difíciles de localizar en un punto y están generalmente ligadas al uso del suelo, como lo sería el fertilizante aplicado a campos de cultivos o los escurrimientos urbanos pluviales.

En las zonas periurbanas de países en desarrollo se favorece la concentración de múltiples fuentes puntuales y difusas de contaminación. Generalmente, en estas zonas se instalan las industrias, abundan los asentamientos irregulares y coexisten con áreas dedicadas a la agricultura y cría de animales domésticos para autoconsumo (Massone *et*

Figura 1
Concentraciones en los puntos de muestreos de río Tecate

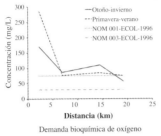

Demanda bioquímica de oxígeno

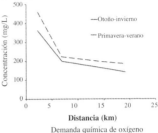

Demanda química de oxígeno

Fuente: Rodríguez-Ventura *et al.* (2005).

al., 1998). Los asentamientos irregulares carecen de servicios públicos –como drenaje doméstico y pluvial, agua potable y recolección de basura–, cuya consecuencia es que el uso de letrinas y la existencia de basureros o tiraderos no controlados sean comunes en estas áreas. Todas estas circunstancias contribuyen a la degradación del medio ambiente y causan la contaminación de cuerpos de agua superficial, acuíferos, suelo y aire. Particularmente, en el área de la vega del arroyo Alamar existen algunos de estos factores que degradan la calidad química tanto del agua superficial como subterránea. En la Figura 2 se pueden observar algunos ejemplos de fuentes potenciales de contaminación presentes en la vega del arroyo Alamar.

Dentro de las fuentes potenciales de contaminación identificadas en el área tenemos el uso de letrinas en las zonas de asentamientos irregulares, corrales para la cría doméstica de animales, estiércol utilizado en la siembra de hortalizas, infiltraciones del mismo arroyo, basureros, tiraderos clandestinos de escombro y residuos peligrosos. En 2005 se identificó un tiradero clandestino de residuos peligrosos en el área del arroyo Alamar, específicamente en la colonia Guaycura, que llamó la atención de las autoridades ambientales debido al incendio subterráneo que generaba fumarolas constantes y cuyo costo de remediación del sitio fue de 770 mil pesos (GBC, 2007; Mier, 2006). Otras fuentes podrían ser más de carácter estacional, como la infiltración de escurrimientos pluviales provenientes de la zona industrial de la Mesa de Otay y las zonas urbanas aledañas que arrastran contaminantes, tales como sedimentos, metales pesados o microorganismos patógenos.

En estudios que se han realizado en el suelo y sedimentos en la vega del arroyo Alamar se encontraron los niveles más altos de plomo justamente en las zonas aledañas a la zona industrial de Otay

Figura 2
Ejemplos de fuentes potenciales de contaminación
en la vega del arroyo del Alamar

a  b  c

a) Cría doméstica de animales. b) Asentamientos irregulares con uso de letrinas. c) Sembradíos de hortalizas.

Fuente: Elaboración propia.

(Temores, 1995; Montoya y Morales, 2007), que se atribuyen a los escurrimientos pluviales provenientes de la zona industrial y urbana. En 1994, en un estudio de evaluación de la calidad de escurrimientos no conducidos en la zona industrial de la Mesa de Otay, se encontró que las concentraciones de grasas y aceites, DQO, detergentes y sólidos sedimentables rebasaban los límites máximos permisibles (LMP) de la regulación vigente (Sepúlveda, 1994). Placchi (1998) analizó la concentración de metales pesados en escurrimientos pluviales de esta zona industrial. Las concentraciones encontradas fueron para cromo 0.128 mg/l, plomo 0.0754 mg/l, cadmio 0.019 mg/l y níquel 0.148 mg/l. Más recientemente, Mijangos-Montiel *et al.* (2009) encontraron una gran cantidad de contaminantes asociados a los escurrimientos pluviales de zonas urbanas y gasolineras en Tijuana. Las concentraciones de DQO fluctuaron en un rango de 60 a 2,135 mg/l en sitios con uso de suelo predominantemente habitacional, y de 90 a 22,600 mg/l en gasolineras.

Para los metales pesados se encontraron concentraciones entre 0.003 y 0.517 mg/l para plomo, 0.001 a 0.044 mg/l para cadmio, 0.002 a 0.167 mg/l para cromo y valores entre 0.001 a 0.082 mg/l para níquel en sitios habitacionales, que están debajo de los LMP marcados por la norma oficial mexicana para descargas de aguas residuales tratadas a aguas nacionales (NOM-001-ECOL-1996). El mayor aporte de contaminantes al arroyo Alamar son las descargas domésticas no controladas de aguas residuales ya que, como se mencionó anteriormente, la calidad del agua del arroyo disminuye al entrar a la zona urbana.

Un estudio realizado por Wakida *et al.* (2008) mostró que los sedimentos del río Tecate están contaminados por metales pesados como el cadmio, plomo, níquel y cromo. Estos metales pueden ser transpor-

Figura 3
Sitios de muestreo en arroyo Alamar

a) Punto R1. b) Noria S2, utilizada para el riego de hortalizas y uso doméstico.
c) Punto R2.

Fuente: Elaboración propia.

tados en los sedimentos hacia la zona del arroyo Alamar por medio de arrastre de la corriente del arroyo.

Calidad de agua del acuífero del arroyo Alamar

Con el propósito de evaluar la calidad química del agua del acuífero del arroyo Alamar se muestrearon mensualmente siete norias y dos puntos a lo largo del arroyo Alamar durante un periodo de 10 meses. Una de estas norias (S2) y los puntos de muestreo en el arroyo se muestran en la Figura 3. Cinco de estas norias eran utilizadas para el riego de hortalizas y las restantes para otros tipos de uso (doméstico, riego de vivero y lavado de automóviles). La ubicación de los puntos de muestreo así como sus características se muestran en la Figura 4 y en el Cuadro 1, respectivamente.

En el Cuadro 2 se muestran los intervalos y el promedio de las concentraciones de los parámetros analizados, así como los LMP por la norma oficial mexicana NOM 127 SSA1 1994 para agua potable. Los resultados muestran que la calidad de agua subterránea es pobre. Se encontraron altas concentraciones de nitrógeno en las muestras, siendo el intervalo de nitrógeno total (NT) entre 8 y 76 mg/l, y las concentraciones de nitrógeno amoniacal de 0.5 a 31 mg/l. La presencia de nitrógeno amoniacal en las muestras nos indica una fuente de contaminación cuyo origen principal pueden ser las excretas derivadas de letrinas o infiltraciones de aguas residuales no tratadas. Las observaciones y conclusiones anteriores se corroboraron con un estudio realizado en las colonias periurbanas de Tijuana acerca del uso del agua y sanidad, en donde se identificó que cerca de 75% de las personas utiliza letrinas (Pombo, 2004). Además, según datos del INEGI (2000), existen aproximadamente 2 mil 350 viviendas sin drenaje en el área de estudio.

Figura 4
Área de estudio y sitios de muestreo

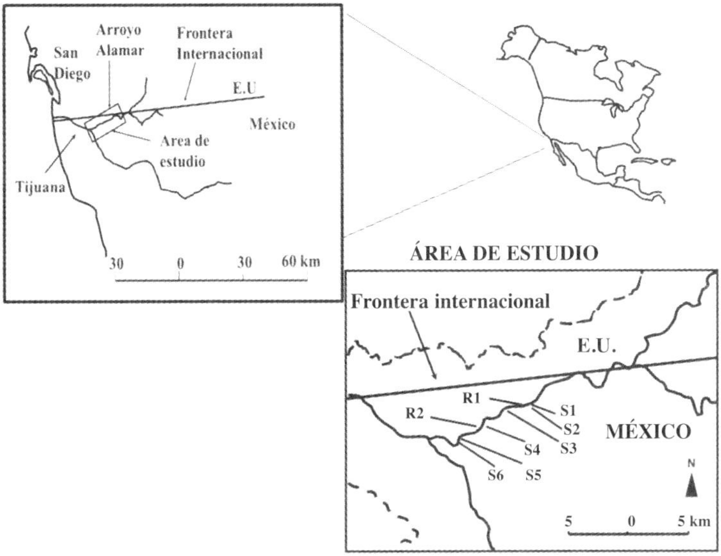

Fuente: Elaboración propia.

Todas las concentraciones de nitrógeno amoniacal (NH_3-N) fueron más altas que el LMP (0.5 mg/l) por la norma oficial mexicana para agua potable (NOM-127-SSA1-1994). Las concentraciones de nitrato (NO_3-N) fueron bajas en las norias muestreadas (0.2 - 8.6 mg/l), comparadas con otros estudios que reportan contaminación de aguas subterráneas por la presencia de letrinas. Cook y Das (1980) encontraron concentraciones de NO_3-N hasta de 200 mg/l en muestras provenientes de un pozo localizado en una aldea de 500 habitantes. Lewis *et al.* (1980) en un estudio conducido en Botswana encontraron concentraciones de 100 mg/l de NO_3-N en un pozo localizado en la proximidad de un pueblo en donde el uso de letrinas era generalizado.

Los altos índices de bacterias nos indican contaminación por infiltración de agua residual no tratada, sin embargo, debido a que las norias no tenían ninguna protección –como se observa en la Figura 3 (b)–, existe la posibilidad de que la contaminación tenga su origen en material que cae desde la superficie hasta las norias.

Con excepción del cloruro y el nitrato –cuyos límites son 250 y 10 mg/l respectivamente–, todos los valores de concentración de parámetros fisicoquímicos están por encima de los LMP marcados por

Cuadro 1
Características de los sitios de muestreo

Sitio	Coordenadas	Uso del agua	Distancia al arroyo (m)
Noria 1 (S1)	32° 32.278 N 116° 51.957 O	Irrigación de horticultura y doméstico	20
Noria (S2)	32° 32.249 N 116° 52.088 O	Irrigación de horticultura y doméstico	120
Noria 3 (S3)	32° 32.059 N 116° 53.183 O	Irrigación de horticultura y doméstico	80
Noria 4 (S4)	32° 31.772 N 116° 54.570 O	Irrigación de horticultura y doméstico	25
Noria 5 (S5)	32° 30.893 N 116° 55.331 O	Vivero de plantas	135
Noria 6 (S6)	32° 30.924 N 116° 55.517 O	Lavado de carros y doméstico	60
Río 1 (R1)	32° 32.327 N 116° 52.29 O	Ninguno	NA
Río 2 (R2)	32° 31.655 N 116° 54.596 O	Ninguno	NA

Fuente: Elaboración propia.

la norma NOM-127-SSA1-1994, indicando que el agua de las norias muestreadas no es adecuada para el uso humano directo sin un tratamiento previo. Por ejemplo, el LMP para sólidos disueltos totales (SDT) es de 1,000 mg/l y el intervalo de concentraciones de SDT en las norias fue entre 1,170 y 3,500 mg/l. Para sulfato, el LMP es de 400 mg/l y su intervalo en las norias fue entre 460 y 810 mg/l. De la misma manera ocurrió para el hierro y el aluminio, ya que las concentraciones encontradas fueron más altas que el LMP marcado por la norma (0.5 y 0.2 mg/l, respectivamente).

El boro fue detectado en todas las muestras analizadas con un intervalo en el arroyo (R1 y R2) entre 0.4 a 1.3 mg/l, siendo este intervalo superior que la encontrada en las muestras provenientes de las norias (0.6 a 0.9 mg/l). El boro es un componente de aguas residuales domésticas debido al perborato que es usado como un agente blanqueador en detergentes comerciales, por lo que es un indicativo de contaminación de aguas residuales no tratadas. Las concentraciones de boro en aguas residuales en países con clima seco y aguas residuales concentradas puede ser de hasta 5 mg/l (LENNTECH, 2008).

Cuadro 2
Rangos y promedios de concentraciones de parámetros
seleccionados de aguas subterráneas y superficial
(todos los valores en mg/l, si no es señalado)

	S1	S2	S3	S4	S5	S6	R1	R2	NOM
STD	1170-1390	1470-1690	1190-1840	1380-1790	2350-3500	1860-1890	1330-1390	1350-1800	1000
	1303	1580	1595	1572	2995	1870	1362	1533	
DQO	24 – 32	23-25	34-53	25-56	44-131	24-25	62-97	62-80	NN
	29	24	46	40	74	24.6	77	72	
NO_3-N	<0.5-0.7	0.2-2.1	0.6-2.2	0.3-2.6	0.8-8.6	0.5-2.7	1.3-8.1	0.1-10.2	10
	0.6	1	1.3	1.3	3.2	1.7	3.5	4	
NH_3-N	0.5-6.4	2-16	5-31	1.6-15	0-3.2	0.2-4	10-15.4	3-9	0.5
	3.8	8.8	7.4	7.4	1.2	1.2	13.9	8.3	
NT	8	20-36	14-48	20-26	40-76	18-24	26-54	12-50	NN
		30	28	23	54	20	40	32	
PO_4-P	14-17	2-9	12-15	8-13	ND-0.7	ND-3	17-20	11-20	NN
	15	5.6	13	10	0.5	1.8	18	16	
SO_4	510-528	336-616	468-560	460-598	718-802	546-584	520-596	554-612	400
	519	573	515	513	764	559	548	570	
Cl-	66-167	51-121	50-187	55-169	89-365	142-187	87-123	100-161	250
	110	100	117	120	230	160	107	131	
Boro	0.6-0.8	0.5-0.7	0.5-0.8	0.5-0.7	0.6-0.9	0.7	0.4-1.3	0.4-1.3	NN
	0.67	0.6	0.7	0.6	0.7	0.7	0.7	0.8	
Fe	19.1	1.80	8.10	0.94	0.97	NM	55.4	9.8	0.30
Al	1.30	1.5	1.4	1.13	2.0	NM	51.8	10.6	0.2
Coliformes totales (MPN/100 ml)	>1100	23-1000	240-1000	240-1100	>1100	93->1100	$7X10^9$		2

S: Noria o pozo. R: Río

NOM: Norma oficial mexicana (NOM-127-SSA1-1994)

STD: Sólidos totales disueltos. DQO: Demanda química de oxígeno. NT nitrógeno total.

NN: No normado.

Fuente: Elaboración propia.

No se conoce la contribución de las actividades de horticultura a la contaminación del agua subterráneas del área. Se sabe que la horticultura con riego puede ser una importante fuente de nitrógeno y plaguicidas (Pionke *et al.*, 1990). Con base en observaciones de campo y

Figura 5
Concentración de parámetros químicos
en las norias muestreadas

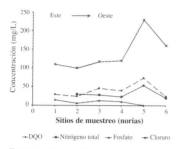

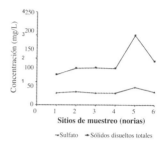

Fuente: Elaboración propia.

pláticas con los horticultores, los fertilizantes inorgánicos no son usados en los sembradíos de la zona, pero sí el estiércol y el aserrín, que son aplicados aproximadamente tres veces al año, lo cual puede provocar lixiviados de nitrógeno, fósforo y otros contaminantes que se transportaran al acuífero somero mediante la infiltración del agua de riego.

Las concentraciones más altas de fosfato se encontraron en las norias utilizadas para el riego de hortalizas y situadas adyacentes a los campos de hortalizas. La concentración promedio en la noria S1 fue de 15 mg/l y en la noria S3 de 13 mg/l, mientras que las concentraciones promedio encontradas en el arroyo fueron 18 mg/l en el sitio R1 y 16 mg/l en el sitio R2. Las fuentes posibles de fosfatos son los detergentes presentes en las aguas residuales o el estiércol utilizado en la siembra de hortalizas.

Con excepción del fosfato –en donde se observa una tendencia de decremento en sus valores de este a oeste (de un área de menor a mayor urbanización)–, para la mayoría de los otros parámetros (cloruros, DQO, STD y NT) se observó una tendencia de incremento en sus valores de este a oeste, lo cual se explica por un aumento en la carga de contaminantes debido a la urbanización (Figura 5).

Las infiltraciones del arroyo Alamar podrían ser una fuente de contaminantes para su acuífero adyacente. Ponce (2003) estimó en un estudio hidrológico del arroyo Alamar que 3.01 hm³/año (95.4 l/s) dejarían de infiltrarse del arroyo Alamar a su acuífero adyacente si el cauce del arroyo se revistiera para su canalización, como el río Tijuana.

La contaminación de aguas subterráneas por infiltraciones de un río o canal que transporta agua altamente contaminada ha sido reportada en otras partes del mundo (British Geological Survey, 1994; Kačaroğlu

Figura 6
Parámetros de calidad de agua en las norias
con respecto a la distancia del arroyo Alamar

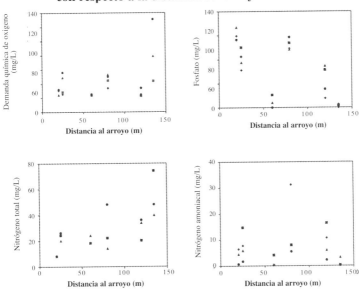

Fuente: Modificado de Wakida *et al.* (2005).

y Gültekin, 1997). Hay dos factores que determinan la contaminación de un acuífero por infiltraciones provenientes de corrientes superficiales. El primer factor es que la corriente reciba una alta proporción de aguas residuales sin tratar o con un deficiente tratamiento; y el segundo, que dicha corriente tenga infiltraciones hacia el acuífero (Wakida y Lerner, 2005).

La Figura 6 muestra la concentración de algunos parámetros con respecto a su distancia al arroyo. Se podría esperar una reducción en la concentración de los parámetros con la distancia a la corriente del arroyo Alamar, sin embargo, ninguno de los parámetros mostró esta tendencia (Figura 6). El fosfato fue el único parámetro cuyas las concentraciones más altas se observaron en las norias más cercanas al arroyo. Una explicación probable es que el fosfato tiende a ser adsorbido por las partículas de suelo. El incremento de las concentraciones de DQO y NT en la noria más distante al arroyo puede explicarse por una contaminación ocurrida por la fuga de aguas residuales, proveniente de una obstrucción en el sistema de drenaje sanitario en la zona urbana adyacente al predio en donde se localiza la noria (Miguel Ángel Rincón, residente y dueño del predio en donde se encuentra la noria N° 5, comunicación personal, 26 de junio de 2004). Si estos puntos son excluidos en la Figura 6, no se observan cambios considerables en función de la distancia en las concentraciones DQO y NT en las norias, lo que sugiere que existen otras fuentes de contaminación además de las infiltraciones del arroyo.

Últimos comentarios

El análisis de calidad de agua proveniente de las norias indica que su calidad es pobre e inadecuada para consumo humano directo si no se le aplica un tratamiento previo. La contaminación del acuífero del arroyo Alamar es atribuida en gran medida a infiltraciones del arroyo Alamar, así como a los asentamientos irregulares en las márgenes del arroyo y a las actividades desarrolladas en la zona, como la agricultura a baja escala, establos, tiraderos de basura y residuos.

El acuífero de la zona del arroyo Alamar es un importante recurso que ha sufrido un deterioro en su calidad debido a los asentamientos irregulares presentes en la zona, así como a los escurrimientos del arroyo Alamar. Sin embargo, es un recurso subutilizado que se podría manejar de una manera sustentable para satisfacer la creciente demanda de agua en Tijuana. La zona del Alamar es una importante zona de recarga, por lo que es prioritario que se regule el desarrollo y las actividades en esta zona.

El proyecto de un parque ecológico propuesto por algunos grupos, así como la canalización del arroyo sin el uso de concreto para permitir la infiltración hacia el acuífero, podrían ser algunas de las opciones viables para la protección de este recurso. Sin embargo, la alta presión por el crecimiento poblacional de la ciudad hace muy poco viable lo anterior, más aún si se efectúa el revestimiento proyectado de su cauce para su canalización, que impedirá una recarga de aproximadamente 3.01 hm^3/año, lo cual tendrá un impacto negativo en el acuífero del arroyo Alamar y al sistema del acuífero del río Tijuana del cual forma parte.

Bibliografía

BRITISH GEOLOGICAL SURVEY. *Impact of Urbanization on Groundwater: Hat Yai, Final Report, Technical Report WC/94/43*, Keyworth, British Geological Survey, 1994.

COMISIÓN NACIONAL DEL AGUA (CONAGUA). *Estudio geohidrológico del valle de Tijuana en el estado de Baja California Norte*, Mexicali, CONAGUA, 1979.

————. *Estadísticas del agua en México*, ciudad de México, CONAGUA, 2003.

CONWAY, John B.; H. F. SALGADO; C. L. SANDALL; E. A. KOBISHER y L. R. NUNO. "An Investigation of Water Quality in the Tijuana River" en *Border Health*, Vol. I, N° 2, San Diego, United States-Mexican Border Health Association, 1985, pp. 24-29.

COOK, J. M. y DAS, D. K. *SempraVillage. Case Study of Groundwater Pollution in Central India, Report No. WD/OS/80/16*, Londres, Indo-British Betwa Groundwater Project/Overseas Development Administration, 1980.

CUSTODIO, Emilio y Ramón LLAMAS. *Hidrología subterránea*, Barcelona, Omega, 1996.

GOBIERNO DEL ESTADO DE BAJA CALIFORNIA (GBC). *Sexto informe de gobierno, Eugenio Elorduy Walter*, Mexicali, GBC, en http://bit.ly/1bsfjqv. Consultado: 19 septiembre 2008.

HURTADO AYALA, Lilia Angélica. *Determinación de poblaciones microbianas en agua que se vierte al río Tijuana*, tesis de maestría, Tijuana, Universidad Autónoma de Baja California, 2008.

INSTITUTO NACIONAL DE GEOGRAFÍA E INFORMÁTICA (INEGI). *SCINCE por colonias. XII Censo de Población y Vivienda*, Aguascalientes, México, 2000.

KAČAROĞLU, Fikret y gültekin GUNAY. "Groundwater Nitrate Pollution in an Alluvium Aquifer, Eskisehir Urban Area and its Vicinity, Turkey" en *Environmental Geology*, Vol. XXXI, N° 3-4, Nueva York, Springer, junio de 1997, pp. 178-184.

LENNTECH. "Elementos químicos tóxicos en aguas de regadío" en *Lenntech. Tratamiento y purificación del agua*, en http://bit.ly/11Gk2nf. Consultado: 4 octubre 2008.

LEWIS, W. J.; J. L. FARR y S. S. D. FOSTER. "The Pollution Hazard to Village Water Supply in Eastern Botswana" en *Proceedings of the Institute of Civil Engineers Part 2. Research and Theory*, Vol. 69, 1980, pp. 281-293.

MASSONE, Héctor Enrique; Daniel E. MARTINEZ; José L. CIONCHI y Emilia BOCANEGRA. "Suburban Areas in Developing Countries and Their Relationship to Groundwater Pollution: A Case Study of Mar del Plata, Argentina" en *Environmental Management*, Vol. XXII, N° 2, Nueva York, Springer, marzo de 1998, pp. 245-254.

MIER, Fidel. "Siguen en el arroyo Alamar con las labores de limpieza" en *FRONTERA*, Tijuana, 6 de enero de 2006, en http://bit.ly/18bVEN5. Consultado: 19 septiembre 2008.

MIJANGOS-MONTIEL, José Luis; F. T. Wakida y J. TEMORES-PEÑA. *Stormwater Quality from Gas Stations in Tijuana, México*, inédito, 2009.

MONTOYA VITORIO, Lidia Gabriela y Margarita Morales RABAGO. *Caracterización fisicoquímica de suelos y su correlación en la retención de plomo y cromo en muestras del arroyo Alamar, Tijuana BC*, tesis de licenciatura, Tijuana, Universidad Autónoma de Baja California, 2007.

PLACCHI Carol Anne. *Land Use and Water Quality in the Upper Reaches of the Tijuana River*, tesis de maestría, San Diego, San Diego State University, 1998.

PIONKE, HARRY B.; M. L. SHARMA y K. J. HIRSCHBERG. "Impact of Irrigated Horticulture on Nitrate Concentrations in Groundwater" en *Agriculture, Ecosystems and Environment*, Vol. XXXII, N° 1-2, Elsevier, septiembre de 1990, pp. 119-132.

POMBO, Alberto. *Tijuana. Agua y salud ambiental*, Tijuana, El Colegio de la Frontera Norte, 2004.

PONCE, Víctor Miguel. *Flood Hydrology of the Binational Cottonwood Creek-Arroyo Alamar, California and Baja California*, San Diego, San Diego State University, 2003, en http://alamar.sdsu.edu/alamar /alamar_english.html. Consultado: 2 julio 2004.

————— . *Feasibility of Pumping Scheme to Provide Water for Tecate River Park*, San Diego, San Diego State University, 2004, en http://ponce.sdsu.edu/tecate_rio_parque_report_september2004.html. Consultado: 12 mayo 2005.

RODRÍGUEZ-VENTURA, J. Guillermo; Fernando TOYOHIKO WAKIDA y Raúl RADILLA CAMACHO. "Water Quality Evaluation of the Tecate River, México, for Reuse Purposes" en Carlos A. Brebbia y José Simão Antunes do Carmo (eds). *River Basin Management III: WIT Transactions on Ecology and the Environment*, Vol. LXXXIII, Southampton, WIT Press, 2005, pp. 403-409.

SÁNCHEZ, R. A. "Urban Growth and Environment" en Norris C. Clement y Eduardo Zepeda (eds). *San Diego-Tijuana in Transition: A Regional Analysis*, San Diego, Institute for Regional Studies in the Californias/San Diego State University, 1993, pp. 77-82.

SEPÚLVEDA MARQUÉS, Rubén Guillermo. *Características fisicoquímicas de aguas residuales de la zona industrial de Otay, Tijuana, en tres descargas no conducidas a la red municipal*, tesis de maestría, Tijuana, Universidad Autónoma de Baja California, 1994.

TEMORES, Juan. *Acumulación de metales traza en suelos de la Ciudad Industrial Otay Nueva Tijuana y regiones aledañas*, tesis de maestría, Tijuana, Universidad Autónoma de Baja California, 1995.

WAKIDA, Fernando T.; Luis E. PONCE-SERRANO; Eulalia MONDRAGÓN-SILVA; E. GARCÍA-FLORES; David N. LERNER y Guillermo RODRÍGUEZ-VENTURA. "Impact of a Polluted Stream on its Adjacent Aquifer: The Case of the Alamar Zone, Tijuana, México" en Neil R. Thompson (ed). *Bringing Groundwater Quality Research to the Watershed Scale*, Wallingford, International Association of Hydrological Sciences Press, 2005, pp. 141-147.

————— ; D. LARA-RUIZ; J. TEMORES-PEÑA; J. G. RODRÍGUEZ-VENTURA; C. DÍAZ y E. GARCÍA-FLORES. "Heavy Metals in Sediments of the Tecate River" en *Environmental Geology*, Vol. LIV, N° 3, Nueva York, Springer, 2008, pp. 637-642.

————— y David N. LERNER. "Non-agricultural Sources of Groundwater Nitrate: A Review and Case Study" en *Water Research*, Vol. XXXIX, N° 1, Elsevier, enero de 2005, pp. 3-16.

Análisis de vulnerabilidad a la contaminación del acuífero del arroyo Alamar y la actitud social hacia su protección

Arizbé A. Gutiérrez Anima*
Jaime Herrera Barrientos**
Vicente Sánchez Munguía***

La preocupación por la escasez de agua en el mundo y las consecuencias sociales y ambientales que podría desencadenar la creciente competencia por ese recurso vital, han sido motivo de innumerables foros y debates en los años recientes. Si asumimos como cierto que los recursos hídricos están siendo sometidos a una creciente presión tanto por el crecimiento de la demanda, como por la degradación a que han sido sometidos los ecosistemas y fuentes disponibles de agua, concluiremos de forma lógica en la estricta necesidad de emprender acciones para proteger las fuentes que sustentan el preciado recurso vital, más si tales fuentes se localizan en lugares en donde la escasez es crónica y la demanda es creciente, como en el noroeste de México y la península de Baja California, en donde cualquier cantidad de agua, por más pequeña que sea, es de por sí valiosa. Estudios patrocinados por la UNESCO indican que cerca de 96% del agua dulce con que cuenta el planeta se aloja en el subsuelo, constituyéndose en la más valiosa reserva de agua disponible tanto por su cantidad como por la calidad de la misma (Perry y Vanderklein, 1996), sin que hasta ahora se haya tomado plena conciencia de la vulnerabilidad de esas fuentes ante las actividades que permitimos en la superficie terrestre y los cuidados que debieran darse para proteger el recurso almacenado metros abajo.

* El Colegio de la Frontera Norte, Preparatoria José Vasconcelos, CEMSAD para Trabajadores N° 2, Tijuana, BC.

** Centro de Investigación Científica y Enseñanza Superior de Ensenada, BC. Correl: jherrera@cicese.mx.

*** El Colegio de la Frontera Norte, Departamento de Estudios de Administración Pública, Tijuana, BC. Correl: vsanchez@colef.mx.

Con relación a las acciones de protección que se requieren emprender, es necesario en primer lugar contar con información confiable sobre las condiciones de calidad del agua disponible, los factores de vulnerabilidad que son característicos de esas fuentes y los riesgos por la contaminación que eso implica para el agua que contiene el acuífero. El presente artículo trata sobre la vulnerabilidad del acuífero del arroyo Alamar localizado en Tijuana, Baja California, partiendo de la lógica de la escasez y la necesidad de protección de las fuentes del recurso hídrico. La idea central del trabajo es presentar y discutir los resultados de la medición del índice de vulnerabilidad del acuífero y la disposición de los habitantes del entorno inmediato para intervenir activamente en su protección.

La protección de acuíferos está basada en preservar la calidad del agua subterránea, prevenir la contaminación y eliminar sus consecuencias. Debido a que la contaminación de un acuífero se relaciona en gran medida con el estado del agua superficial, la atmósfera, la precipitación y el suelo, su protección debe atenderse simultáneamente y sobre la base de pautas dirigidas a la preservación del ambiente en general (Auge, 2004).

Las estrategias de protección de aguas subterráneas se han centrado básicamente en dos líneas de acción: el establecimiento de perímetros de protección de pozos y la elaboración de mapas de vulnerabilidad a la contaminación. La primera tiene como objetivo principal el establecimiento de una zona de protección alrededor del pozo de abastecimiento, en tanto que la segunda define la susceptibilidad del acuífero a la contaminación, con base en sus características hidrogeológicas y geoquímicas (Hirata y Rebouças, 2001). Los acuíferos se recargan con el agua de lluvia, al infiltrarse ésta a través de la superficie terrestre. Por ende, algunas de las actividades que se llevan a cabo sobre la superficie pueden amenazar la calidad y disponibilidad del agua subterránea. La estimación de la vulnerabilidad del acuífero a la contaminación permite aprovechar la capacidad natural de atenuación de contaminantes que tiene el suelo, en lugar de aplicar restricciones universales al uso del suelo y controles de la descarga de efluentes sobre el mismo (Pérez, 2003).

La protección de los acuíferos para evitar la contaminación requiere de un manejo consciente y la cooperación de los ciudadanos y de varias instancias gubernamentales, y generalmente la planificación del uso del suelo es la mejor alternativa. Si se planifica la localización de fuentes potenciales de contaminación y se ubican lejos de las áreas críticas de recarga, el riesgo de contaminación se reducirá notablemente (Hornsby, 2000).

El concepto "vulnerabilidad del agua subterránea a la contaminación" fue introducido en 1968 por el hidrogeólogo francés J. Margat, sin embargo, fue hasta finales de la década de 1980 cuando Foster sugirió que la definición más lógica y consistente sería considerar la vulnerabilidad de los acuíferos como las características intrínsecas que determinan la susceptibilidad de un acuífero a ser afectado adversamente a causa de una carga contaminante aplicada en su superficie. La vulnerabilidad es entonces una función de dos factores: a) la inaccesibilidad hidráulica de la zona saturada a la penetración de contaminantes, y b) la capacidad de atenuación de los estratos que están por encima de la zona saturada, como resultado de una retención física, acción biológica o reacción química con los contaminantes (Pérez, 2003).

La vulnerabilidad intrínseca de las aguas subterráneas está en función de parámetros principales como la recarga, el tipo de suelo, la zona no saturada y el propio acuífero, y de parámetros secundarios como la topografía, la litología del acuífero y el contacto con aguas superficiales o de mar (Fornez y Llamas, 1998). La vulnerabilidad en los acuíferos libres es una función inversa de la profundidad del nivel freático y directa de la permeabilidad vertical de la zona no saturada (Auge, 2004). En este trabajo se obtiene la vulnerabilidad intrínseca o natural del acuífero del arroyo Alamar, que es un acuífero libre.

Zona de estudio

El arroyo Alamar es parte del sistema hidrológico de la cuenca del río Tijuana, que tiene una superficie de 4,460 km^2 y es compartido con Estados Unidos, en donde se localiza 27.7% (1,237 km^2) de la superficie, y la mayor parte corresponde a la subcuenca del arroyo Alamar (CEA, 2003). Está ubicado al este del área urbana de Tijuana y fluye en dirección oeste, uniendo al río Tecate y al arroyo Cottonwood con el río Tijuana (Graizbord y Michel, 2002). La cuenca del arroyo Alamar tiene un área aproximada de 759 km^2 y se localiza entre las coordenadas 32° 30' 00" y 32° 43' 30" de latitud norte y 117° 00' 00" y 116° 19' 00" de longitud oeste (CONAGUA, 1993).

El arroyo Alamar cuenta con 9.8 km de longitud, está encauzado en un tramo de 2.5 km, con una capacidad de conducción de 1,720 m^3/s. Está dividido físicamente en tres zonas por los bulevares Manuel J. Clouthier y Terán Terán (Espinoza *et al.*, 2004). Bajo el arroyo Alamar yace un acuífero de tipo libre que forma parte del acuífero Tijuana, que se encuentra en equilibrio con una recarga media anual de 19 mm^3 y una extracción de 17 mm^3, lo que da como resultado 2 mm^3 disponibles (CEA, 2003). Hasta 1990, en el área de estudio existían 167 obras de aprovechamiento de agua subterránea, correspondientes a 29 pozos y 138 norias; de éstos, 7 pozos fueron concesiones de la Comisión Estatal de Servicios Públicos de Tijuana (CESPT) y el resto de particulares. Del total de obras de aprovechamiento únicamente 8 están activas (CONAGUA, 1999). Actualmente, la CESPT mantiene en operación solamente un pozo, identificado como "Pozo N° 3", cuyo volumen autorizado de explotación anual es de 630,700 m^3. Los 6 pozos restantes que fueron operados por la CESPT en la zona del Alamar se dieron de baja en 1991, debido a que la calidad del agua extraída no era adecuada para uso y consumo humano. Según informes de la CESPT, en 2005 el volumen de agua extraído del Pozo N° 3 fue de 383,258 m^3, y hasta el mes de julio de 2006 se habían extraído 122,737 m^3; sin embargo, debido a que la calidad del agua subterránea no cumplía con los límites máximos permitidos en la NOM-127-SSA1-1994, se hizo necesaria su potabilización (CESPT, 2006).

Las fuentes principales de contaminación del arroyo Alamar son, entre otras, los escurrimientos superficiales de aguas residuales generadas por los asentamientos humanos irregulares *in situ* –que carecen de drenaje sanitario– y los residuos sólidos domésticos e industriales que, debido a la falta de vigilancia, son depositados en el cauce del arroyo y dan origen a tiraderos clandestinos. La disposición inadecuada de dichos residuos favorece la contaminación del suelo y del manto freático. El impacto negativo sobre la calidad del agua subterránea tiene como resultado un agua no apta para uso y consumo humano (Wakida *et al.*, 2005).

El arroyo Alamar se ha caracterizado por la presencia de asentamientos irregulares sobre la zona federal. Sin duda, este fenómeno se asocia al fenómeno de inmigración que se presenta en la ciudad de Tijuana. El arroyo Alamar ha sido históricamente uno de los espacios de la ciudad más susceptibles a los asentamientos irregulares por la ausencia de control y vigilancia de la zona federal dentro del ámbito municipal. Los primeros asentamientos ocurrieron en la década de 1930, sin embargo, fue a finales de la década de 1950 cuando la inmigración se volvió permanente, y a partir de 1980 el aumento de población fue notable hasta alcanzar su punto máximo a mediados de la década de 1990. Posterior a esta fecha, el número de asentamientos disminuyó, probablemente a causa de la reducción de predios disponibles (Espinoza *et al.*, 2004).

Este artículo es el resultado de un trabajo de investigación cuyo objetivo general fue contar con elementos que permitieran estimar la vulnerabilidad a la contaminación del acuífero del arroyo Alamar y avanzar en una propuesta que permita gestionar su protección, para lo cual se realizaron las siguientes acciones específicas: 1) se valoraron los parámetros hidrogeológicos que determinan la vulnerabilidad a la contaminación del acuífero del arroyo Alamar; 2) se determinó la vulnerabilidad a la contaminación del acuífero del arroyo Alamar mediante el índice DRASTIC; 3) se elaboró un mapa de vulnerabilidad del acuífero; 4) se evaluó la actitud hacia la protección del acuífero de los actores relacionados; y 5) se propusieron algunas acciones orientadas a la protección del acuífero.

Métodos

Estimación de la vulnerabilidad del acuífero

Para evaluar la vulnerabilidad del acuífero se utilizó el método DRASTIC, un método empírico desarrollado por Aller *et al*. (1987) a través de financiamiento de la Agencia de Protección Ambiental (EPA, por sus siglas en inglés) de Estados Unidos y se ha utilizado en diversos estudios en Estados Unidos, Canadá, México, África del Sur y la Unión Europea (Fallas, 2003). Este método busca sistematizar la determinación del potencial que los contaminantes tienen para alcanzar la zona saturada (Agüero y Pujol, 2002). La técnica DRASTIC se denomina así por las siglas en inglés de los siete parámetros que se consideran para determinar la vulnerabilidad:

D: Profundidad del agua subterránea (*Depth to water*)
R: Tasa de recarga (*Net recharge*)
A: Litología del acuífero (*Aquifer media*)
S: Tipo de suelo (*Soil media*)
T: Topografía (*Topography*)
I: Impacto de la zona vadosa (*Impact of vadose zone*)
C: Conductividad hidráulica del acuífero (*Hydraulic conductivity of the aquifer*).

El método posee tres supuestos importantes: 1) el contaminante es colocado sobre la superficie del suelo; 2) el contaminante es transportado a la zona saturada por la precipitación; y 3) el contaminante, una vez en el acuífero, se mueve. Asimismo, asigna *valores* que varían de 1 a 10. Éstos denotan la importancia relativa de la vulnerabilidad en cada parámetro. El valor 1 indica la mínima vulnerabilidad y el 10 la máxima. A su vez, cada parámetro tiene un *peso* que determina su nivel de importancia con respecto a los otros parámetros. Los pesos van de 1 a 5, cuya distribución se muestra en el Cuadro 1. Para el cálculo de la contribución al índice de vulnerabilidad de un parámetro dado, se multiplica el *valor* del parámetro con su *peso* respectivo. El índice de vulnerabilidad es la suma de los productos de los siete parámetros. Este proceso se realiza en cada celda en que se divida la zona de estudio. Al considerar los niveles de variación teórica en los *valores* de cada parámetro y el *peso* de éstos, el índice de vulnerabilidad tiene un rango entre 23 y 230 (Auge, 2004; Aller *et al.*, 1987). Lo indicado anteriormente se reduce a:

$$\text{Índice de Vulnerabilidad} = D_R D_W + R_R R_W + A_R A_W + S_R S_W + T_R T_W + I_R I_W + C_R C_W$$

En donde el subíndice R denota el *valor* y W el *peso*.

Mediante el método DRASTIC se determina el índice de vulnerabilidad para una zona dada. Este índice expresado a través de un mapa adquiere un sentido significativo, ya que permite observar las porciones de la zona con valores semejantes, diferentes, con mayor intensidad, con menor intensidad e igual valor de índice (Auge, 2004). Esto es importante como un insumo a los tomadores de decisiones para que diseñen políticas públicas sustentables, ya que el mapa de vulnerabilidad les mostrará en forma esquemática cómo es la vulnerabilidad a la contaminación en el acuífero, indicándoles ineluctablemente las zonas que requieren de mayores cuidados, facilitando así la generación políticas de planeación y planes de manejo tendientes a evitar la contaminación del acuífero.

El área de estudio se dividió en celdas de 500 por 500 metros, a partir de un plano topográfico a escala 1:10,000 elaborado por la Unidad de Sistemas de Información Geográfica del Instituto Municipal de Planeación (IMPLAN). El plano se elaboró en la proyección cartográfica UTM con el datum horizontal WGS-84. De la zonificación se obtuvieron 89 celdas de 0.25 km² cada una.

A partir del acopio de la información hidrogeológica disponible se estimaron en cada una de las 89 celdas los *valores* de los parámetros DRASTIC, así como el índice de vulnerabilidad correspondiente a cada celda y a cada parámetro, y mediante el programa ArcView GIS 3.3 se generaron siete mapas temáticos correspondientes a la contribución al índice de vulnerabilidad de los parámetros DRASTIC.

Profundidad del agua subterránea. Los datos para definir este parámetro fueron obtenidos de los planos de profundidad al nivel estático correspondientes a los años 1978, 1979, 1980, 1997 y 1999, existentes en los estudios proporcionados por la Gerencia Regional en Baja California de la Comisión Nacional del Agua (CONAGUA). La profundidad de los niveles estáticos varía de 2 a 10 m, y al comparar los niveles estáticos de los datos de 1978 con los de 1999 se observa que no hay cambios significativos.

Tasa de recarga. En este estudio se consideró la precipitación media anual como la tasa de recarga, en un escenario en el que toda la precipitación se infiltrara –aunque la tasa de evaporación es alta–, con un promedio de 1,456.2 mm/año. El valor de 270.2 mm/año tomado de INEGI (2005) corresponde al promedio de precipitación anual registrado durante el periodo 1983-2004 en la estación meteorológica de la presa Abelardo L. Rodríguez, ubicada en las coordenadas 32° 26' 49'' latitud norte y 116° 54' 28'' longitud oeste, a 120 m de altitud. La recarga estimada está por encima del rango máximo contemplado por el método DRASTIC, por lo que se asignó el valor de 9 a toda el área de estudio.

Litología del acuífero. Para definir la litología del acuífero se utilizó una carta hidrológica de aguas subterráneas a escala 1:250,000, código Tijuana 111-11, con proyección transversa de Mercator y datum horizontal NAD27, editada en 1981 por la Dirección General de Geografía del Territorio Nacional. De acuerdo con esta carta, el área de estudio está conformada por materiales no consolidados con altas posibilidades acuíferas. Se utilizaron además los cortes litológicos de 6 pozos ubicados en la zona de estudio y los resultados de 7 sondeos eléctricos verticales que forman parte de los estudios proporcionados por la Comisión Nacional del Agua. A partir de esta información se encontró que la zona de estudio está formada por depósitos cuaternarios granulares que comprenden depósitos aluviales y fluviales, formados por arenas no consolidadas, limos, arcillas y gravas depositadas por el arroyo Alamar.

Tipo de suelo. Para la clasificación del tipo de suelo se utilizó la carta edafológica 1:250,000, con cuadrícula UTM cada 10,000 m, código Tijuana 111-11, editada en 1982 por la Dirección General de Geografía del Territorio Nacional. Esta carta fue realizada bajo la proyección transversa de Mercator, datum NAD27 y esferoide Clarke de 1866. De acuerdo con dicha carta, el suelo de la totalidad del área de estudio corresponde a vertisol crómico con fluvisol eútrico, de textura fina formada por 36% de arcilla, 34% de limo y 30% de arena. Esta información se complementó con observaciones de muestras obtenidas en campo. De las muestras humedecidas se reconoció al tacto la presencia de arcillas al formarse una pasta moldeable sin resquebrajaduras. La presencia de limos se detectó cuando la muestra humedecida presentó pequeñas resquebrajaduras. Una muestra áspera al tacto indicó la presencia de arenas. Asimismo, se consideró la información de seis columnas litológicas de pozos, en las cuales se describen los distintos materiales que conforman el suelo y subsuelo. Dichas descripciones son texturales cualitativas, es decir, el perforista señala la presencia de limos, arenas o arcillas basado en su experiencia. El tipo de suelo predominante en la zona de estudio son las arenas con grava, seguido de arenas con limos y en menor cantidad arenas con limo y arcilla.

Topografía. El porcentaje de pendiente se determinó a partir de un plano topográfico a escala 1:10000 con curvas de nivel cada 20 metros, elaborado por la Unidad de Sistema de Información Geográfica del Instituto Municipal de Planeación (IMPLAN). Sobre el plano topográfico se sobrepuso una plantilla de 89 celdas y se obtuvo la pendiente promedio del relieve topográfico en cada celda. El porcentaje de pendiente se calculó dividiendo la diferencia de alturas (mayor y menor) por la distancia entre éstas. El cociente se multiplica por 100 y, cuando las cotas mayor y menor no cubren toda la celda, se multiplica dicho resultado por la parte proporcional de la celda con curvas de nivel topográfico. El porcentaje de pendiente varía de 0 a 12, siendo el cero el valor que más se repite.

Impacto de la zona vadosa. Se utilizó la carta geológica a escala 1:50,000, código Murúa I11D61, editada en 1977 por la Comisión de Estudios del Territorio Nacional (CETENAL), de la cual se desprende que el arroyo Alamar forma parte de estructuras geológicas con fallas de tipo normal. Los flancos del cauce del arroyo están constituidos por areniscas y conglomerados, que corresponden a la cota 100 aproximadamente. Los materiales del arroyo Alamar son de tipo aluvial.

Conductividad hidráulica. La conductividad hidráulica del acuífero se estableció a través de los datos proporcionados por la Comisión Nacional del Agua, obtenidos a partir de las pruebas de bombeo realizadas en 1979. Cabe señalar que solamente se contó con cuatro datos de conductividad hidráulica dentro del área de estudio, que fueron 0.20, 0.25, 0.88 y 1.83 m/día, por lo que se realizó una extrapolación de dicha información. Todos los valores obtenidos para este parámetro se encuentran en el rango más bajo de clasificación del método DRASTIC, por lo que se asignó el valor de 1 a toda el área de estudio.

Una vez obtenidos los mapas correspondientes a los siete parámetros DRASTIC, se calculó el índice de vulnerabilidad a la contaminación, mediante la ecuación antes mencionada.

Evaluación de la actitud social hacia la protección del acuífero

Para evaluar la actitud que tienen los habitantes del área de estudio hacia la protección del acuífero del arroyo Alamar, se construyó una escala de actitud tipo Likert. Este método fue propuesto en 1932 por R. Likert y es uno de los más utilizados en la medición de actitudes. Se trata de una escala ordinal, y como tal no mide en qué grado es más favorable o desfavorable una actitud (Ander-Egg, 1987), sino que utiliza enunciados o afirmaciones sobre las que se tiene que manifestar el individuo. En el supuesto de que la actitud exista, cada individuo estará ordenado en función de su acuerdo o desacuerdo con tales afirmaciones siempre que estén relacionadas con la actitud que se quiere medir. Cada enunciado de la escala proporciona información sobre la actitud del individuo. La acumulación de información es lo que nos permite decidir la posición que una persona ocupa en el continuo de la actitud (Elejabarrieta e Íñigez, 1984). Los pasos que se siguieron para construir la escala de actitud fueron:

1) Se definió el objeto de la variable actitud a medir, en este caso la protección del acuífero del arroyo Alamar. Con la intención de especificar mejor el objeto a medir se enmarcó en 6 categorías denominadas a) importancia del agua subterránea; b) conciencia del problema ambiental; c) fuentes contaminantes; d) desempeño de las autoridades; e) disposición de participación ciudadana; y f) asignación de responsabilidades.

2) Se construyeron los enunciados a manera de afirmaciones en primera persona, que reflejaran una posición favorable o desfavorable para cada una de las categorías. Una vez formulados los enunciados de cada categoría se distribuyeron al azar en la escala, con la finalidad de que los enunciados de cada categoría no aparecieran juntos sino intercalados con los de otras categorías.

3) Se aplicó una encuesta piloto a una muestra de 20 individuos que indicaron su actitud hacia las afirmaciones mediante una escala de intensidad, que va de "totalmente de acuerdo" a "totalmente en desacuerdo", incluyendo los grados intermedios "de acuerdo", "indiferente" y "en desacuerdo". Aun cuando la literatura recomienda aplicar el cuestionario a por lo menos una cantidad de individuos equivalente a cinco veces el número de afirmaciones para efecto de establecer la validez del instrumento, en este trabajo no fue posible llevarlo a cabo por razones de tiempo, sin embargo, a partir de las observaciones realizadas durante la encuesta piloto, se realizaron algunas modificaciones

a los enunciados de la primera versión de la escala con el fin de lograr una comunicación efectiva (Fernández *et al.*, 2003; Vargas-Ruiz, 2003).

4) Finalmente, se obtuvo una escala con 30 afirmaciones distribuidas en las seis categorías mencionadas, como se muestra en el Cuadro 1.

La escala de actitud construida se aplicó los días 14 y 21 de mayo y 5 de junio de 2006 en forma de entrevista, a una muestra de 110 habitantes adultos del área de estudio. El tamaño de muestra se determinó a partir del número de viviendas habitadas reportado en el SCINCE 2000, que es de 10,824 (INEGI, 2000). Se consideró un nivel de confianza de 95% y un error de estimación de 9.5%. Con la finalidad de distribuir los cuestionarios proporcionalmente según la población asentada, se dividió el área de estudio en tres zonas, utilizando como separadores los bulevares Manuel J. Clouthier y Terán Terán. Se aplicó un cuestionario por vivienda.

Las respuestas obtenidas se clasificaron con valores de uno a cinco, se asignó el valor de cinco a la posición "totalmente de acuerdo" en los enunciados favorables y uno a la posición "totalmente en desacuerdo" en los enunciados desfavorables; el resto de las posiciones se calificaron en orden decreciente con respecto a este valor. Al final, cada individuo obtuvo una nota global como resultado de las sumas obtenidas en cada respuesta.

Validez y confiabilidad de la escala

Para determinar la validez de contenido de los enunciados se calculó el coeficiente de correlación de Pearson entre las notas de cada afirmación y la nota global de la categoría correspondiente. Se calcularon también los coeficientes de correlación entre cada afirmación y las puntuaciones de toda la escala (Tabla 1). Autores como Fernández *et al.* (2003) y Vargas (2003) recomiendan descartar los enunciados con coeficientes de correlación menor a 0.35, pues consideran que correlaciones de 0.35 en adelante son estadísticamente significativas por encima de 1%. Un valor bajo de correlación entre el enunciado y la escala puede tener varias causas, por ejemplo, la mala comprensión del enunciado o que éste no sea adecuado para medir el objeto de actitud.

Para estimar la confiabilidad de la escala se eligió el coeficiente alfa de Cronbach, ya que presenta la ventaja que requiere una sola aplicación del instrumento de medición. Los valores de este coeficiente van de cero a uno, en donde cero significa nula confiabilidad y uno representa la confiabilidad total. Existe una buena consistencia interna cuando el valor de alfa es superior a 0.7 (Vargas, 2003; Martín-Arribas, 2004).

El cálculo del coeficiente alfa de Cronbach se realizó a partir de la matriz de correlación de las afirmaciones (todas contra todas, de par en par), que se obtuvo con el programa XLSTAT versión 2006.3. Una vez obtenida la matriz de correlación se aplicó la siguiente ecuación:

$$\alpha = \frac{N\overline{p}}{1 + \overline{p}(N-1)}$$

En donde N es el número de afirmaciones de la escala y $\overline{p}$ es el promedio de las correlaciones entre las afirmaciones, incluyendo cada coeficiente de correlación una sola vez y excluyendo los coeficientes entre las mismas puntuaciones. Sustituyendo valores tenemos que:

$$\alpha = \frac{(30)(0.239)}{1 + (0.239)(30-1)}$$

El coeficiente alfa de Cronbach resultante fue de 0.904, lo que significa que la escala construida es capaz de medir con precisión la actitud de los habitantes de la zona de estudio hacia la protección del acuífero del arroyo Alamar.

Discusión de resultados

Vulnerabilidad del acuífero a la contaminación

Se definieron los siete parámetros DRASTIC en el área de estudio tan detalladamente como lo permitió la información disponible. Con excepción de los parámetros *conductividad hidráulica* (C) –del que únicamente se contó con 4 datos que hacen ver a la zona acuífera como un cuerpo homogéneo según la capacidad de movimiento del agua subterránea– y la *tasa de recarga* (R) –que se consideró igual a la precipitación media anual–, el resto de los parámetros pudieron caracterizarse de forma más detallada, lo que permitió obtener un mapa de vulnerabilidad (Plano 1) en el que claramente aparece la porción este del acuífero como la más vulnerable a la contaminación.

Cuadro 1. Distribución de las afirmaciones dentro de la escala

Afirmaciones	Calificación promedio*	Correlación categoría	Correlación escala total
Categoría A: Importancia del agua subterránea			
El agua subterránea del Alamar es importante para la ciudad de Tijuana	4.7	0.726	0.645
El cuidado del agua subterránea del Alamar no representa ningún beneficio para mí	4.3	0.723	0.630
Todos nos beneficiamos al cuidar el agua subterránea del Alamar	4.8	0.775	0.748
No vale la pena cuidar el agua subterránea del Alamar	4.7	0.622	0.555
No es necesario cuidar el agua subterránea ya que la ciudad de Tijuana se abastece del río Colorado	4.7	0.713	0.623
El agua subterránea del Alamar es un recurso valioso que debemos cuidar	4.9	0.711	0.727
Estoy a favor de que se cree un programa para cuidar el agua subterránea del Alamar	4.9	0.533	0.508
Categoría B: Conciencia del problema ambiental			
El agua subterránea bajo el arroyo Alamar está contaminada	4.5	0.423	0.223
A mí no me afecta que el agua subterránea esté contaminada	4.7	0.694	0.632
La contaminación del agua subterránea del Alamar es inevitable	4.8	0.816	0.773
No me parece que la contaminación del agua subterránea del Alamar sea un problema	4.8	0.731	0.638
La contaminación del agua subterránea del Alamar afecta la salud de quienes aquí vivimos	4.9	0.868	0.765
Me parece que hace falta más información acerca del cuidado del agua subterránea	4.9	0.868	0.765
Me preocupa saber que una fuente de agua subterránea como es el Alamar esté contaminada	4.9	0.829	0.724
Categoría C: Fuentes contaminantes			
La basura depcsitada en el arroyo Alamar puede contaminar el agua subterránea	4.9	0.803	0.167
Las descargas de agua residual en el arroyo Alamar contaminan el agua subterránea	4.8	0.814	0.269

Me molesta ver el arroyo Alamar lleno de basura	4.9	0.438	0.182
Categoría D: Desempeño de las autoridades			
Las autoridades buscan la comunicación con los vecinos para que juntos cuidemos de agua subterránea del Alamar	3.2	0.920	0.363
Las autoridades nos explican cómo podemos evitar la contaminación del suelo y del agua subterránea en el Alamar	3.1	0.841	0.328
Las autoridades atienden de inmediato los reportes que hacen los vecinos cuando hay basura en el arroyo	1.3	0.385	-0.205
No sirve de nada reportar a las autoridades las fuentes de contaminación en el arroyo Alamar porque nunca hacen caso	1.1	0.385	-0.164
Categoría E: Disposición de participación ciudadana			
Yo no puedo hacer nada para evitar que el agua subterránea se contamine	4.3	0.799	0.661
Me gustaría aprender más sobre cómo cuidar el agua subterránea	4.8	0.732	0.704
No tengo ningún interés por cuidar el agua subterránea	4.7	0.648	0.555
Es importante que los vecinos reporten a las autoridades los focos de contaminación que hay en el Alamar	4.9	0.449	0.338
Si yo pudiera hacer algo para cuidar el agua subterránea lo haría	4.9	0.704	0.730
Quisiera participar activamente en un programa para cuidar el agua subterránea del Alamar	4.7	0.754	0.691
Categoría F: Asignación de responsabilidades			
Las personas que usan el agua subterránea del Alamar son quienes deben hacer algo para cuidarla	3.1	0.757	0.484
El cuidado del agua subterránea es responsabilidad del gobierno, no de los ciudadanos	4.3	0.753	0.514
La contaminación del agua subterránea es culpa de las industrias	3.3	0.706	0.328

* Es el promedio de las calificaciones obtenidas para cada afirmación en una escala de 1 a 5, en donde 1 es totalmente desfavorable, 2 desfavorable, 3 indiferente, 4 favorable y 5 totalmente favorable.

Fuente: Elaboración propia.

Gráfica 1
Porcentaje del área de estudio dentro de cada intervalo del índice DRASTIC

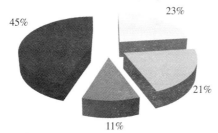

Baja (126-142) ☐ Media (143-158) ☐ Alta (159-174)
☐ Muy alta (175- 190)

Fuente: Elaboración propia.

Considerando las 89 celdas que conforman el área de estudio, se obtuvo un valor promedio del índice DRASTIC de 163, con una desviación estándar de 19.90, un máximo de 190 y un mínimo de 126; el valor que más se repitió fue 177. El valor del promedio ponderado por área del índice DRASTIC fue de 179.07. En la Gráfica 1 se puede observar que aproximadamente la mitad (45%) del área de estudio presenta una vulnerabilidad muy alta con valores de índice DRASTIC, entre 175 y 190. Esta zona se distribuye de manera uniforme cubriendo el acuífero desde su extremo noreste hasta aproximadamente 1.5 km antes del bulevar Clouthier, y corresponde con los niveles más bajos de profundidad del agua subterránea. La mayor parte de esta zona no ha sido urbanizada. En ella se encuentran, además de asentamientos irregulares, un establo, una granja porcícola, algunas parcelas de hortalizas, un tiradero con basura, llantas y escombro, una ladrillera y el fraccionamiento de reciente creación "Ribera del Bosque"; también comprende los extremos de algunas colonias como "Ciudad Industrial", "Torres del Matamoros", "10 de Mayo", "Insurgentes" y "Granjas Familiares Unidas" en la delegación Centenario.

La categoría de baja vulnerabilidad ocupa 23% del área de estudio, es esta área la que cuenta con mayor protección natural a la contaminación. En la zona más amplia de esta categoría se ubican las albercas "El Vergel", las colonias "Alamar", "Infonavit Patrimonio" e "Hidalgo", una parte de la colonia "Valle Vista primera sección" y algunos asentamientos irregulares. Hacia el oeste se encuentra otra zona con vulnerabilidad baja, en donde se ubica un tramo del bulevar Lázaro Cárdenas y el Pozo N° 3 de la CESPT. Dos zonas de menor tamaño en esta categoría son ocupadas de forma parcial por las colonias "Campestre Murúa" y "Zona urbana del ejido Chilpancingo" de la delegación La Mesa.

En el tercer lugar de importancia se ubica la categoría de vulnerabilidad media, con 21% de la superficie total. La distribución

Plano 1
Localización de actividades en el acuífero del arroyo Alamar

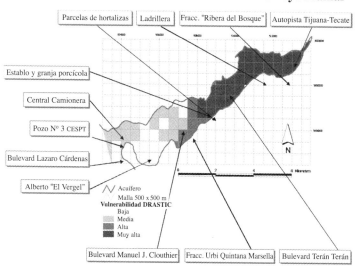

Fuente: Elaboración propia.

espacial de esta categoría es dispersa, aunque se pueden observar dos zonas amplias. La primera se ubica en el extremo oeste del acuífero, en donde se encuentra la Central Camionera de Tijuana, la colonia "Arenales B" y parte de la colonia "Valle Vista primera sección". La segunda se extiende sobre el bulevar Clouthier abarcando parcialmente las colonias "Río Vista", "Valle Vista segunda sección", "Campestre Murúa" y "Zona Urbana del Ejido Chilpancingo".

El 11% restante corresponde a la categoría de vulnerabilidad alta, se trata de una franja ubicada al este del bulevar Clouthier, en donde se sitúa el fraccionamiento "Urbi Quinta Marsella" y una parte de la "Zona urbana del Ejido Chilpancingo".

En el Plano 1 se muestra la clasificación de los índices de vulnerabilidad del acuífero, señalando algunas de las actividades que se desarrollan en la zona.

Actitud hacia la protección del acuífero

La actitud de los vecinos asentados en la zona de estudio hacia la protección del acuífero resultó favorable. La categoría que más se repitió fue 4 (favorable), y 50% de los individuos encuestados se ubican por

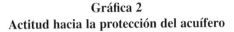

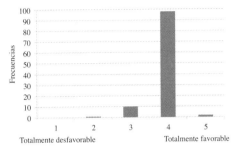

Gráfica 2

Actitud hacia la protección del acuífero

Fuente: Elaboración propia.

encima del valor 4.65. En promedio, las personas encuestadas se ubican en 4.54 (favorable), con una desviación estándar de 0.4. Ninguna persona demostró una actitud totalmente desfavorable, las puntuaciones tienden a situarse en valores medios o elevados.

En la Gráfica 2 se observa en la población encuestada un sentido de precautoriedad y de beneficio colectivo con la protección del acuífero, así se manifiesta en los resultados obtenidos en las afirmaciones 6, 7, 11, 14, 24, 25 y 30 correspondientes a la categoría A, denominada *Importancia del agua subterránea*, en donde más de 80% de los encuestados mostró una actitud favorable. De igual manera, se puede decir que la población está consciente del problema ambiental que representa la contaminación del acuífero, puesto que las afirmaciones 12, 20, 22, 26, 27 y 29 (categoría B) obtuvieron resultados favorables en más de 90% de los encuestados. Las respuestas dadas a las afirmaciones 2, 4 y 23 de la categoría C, *fuentes contaminantes*, indican que la población reconoce cuáles son las fuentes de contaminación del acuífero.

Por otro lado, la percepción que muestra la población encuestada hacia el trabajo de las autoridades es desfavorable, que se revela a través de la reacción de las personas encuestadas ante las afirmaciones 8, 10, 15 y 28, todas ellas relacionadas con el desempeño de las autoridades. En especial, las afirmaciones 15 y 28 obtuvieron medias de 1.31 y 1.14 respectivamente. La opinión en las afirmaciones 8 y 10 está dividida. La propia Dirección de Protección al Ambiente del municipio de Tijuana reconoce que por diversas causas, entre las que se mencionan la falta de personal y el escaso presupuesto disponible, esta dependencia se dedica únicamente a atender y dar seguimiento a las denuncias ciudadanas recibidas, dejando de lado las acciones de prevención y vigilancia. Por su parte, la CESPT dejó de operar 6 de los 7 pozos que le fueron concesionados en la zona del Alamar debido a la mala calidad del agua extraída. De esto hace ya 15 años y hasta la fecha no se han tomado acciones por ninguna dependencia para menguar el deterioro del acuífero.

La disposición de participación que tienen los habitantes de la zona es alta, de acuerdo con las respuestas que emitieron, pues más de 80% de las respuestas dadas a las afirmaciones 9, 13, 16, 17, 19 y 21 es favorable. Las posturas expresadas en la asignación de responsabilidades, según se observa en las afirmaciones 3, 5 y 18, indican que la responsabilidad de proteger el acuífero debe ser compartida entre la ciudadanía y el gobierno. Una tercera parte de los encuestados señala a las industrias como responsables de la contaminación del agua subterránea en la zona del Alamar.

Conclusiones

Los índices de vulnerabilidad obtenidos indican que el acuífero del arroyo Alamar tiene una vulnerabilidad intrínseca alta debido a su naturaleza; es decir, las características del suelo, los materiales geológicos que forman el acuífero y la hidrología del lugar. Si comparamos los índices resultantes (126 a 190) con los valores teóricos del método DRASTIC (23 a 230), tenemos que la vulnerabilidad de todo el acuífero varía de alta a muy alta, por lo que tenemos un acuífero muy vulnerable, incluso sin carga contaminante.

La porción noreste del acuífero es la más sensible a la contaminación, y debe recibir especial atención durante el desarrollo e implantación de políticas de planificación de uso del suelo.

Hasta ahora, el área de estudio se ha caracterizado por un crecimiento urbano anárquico, motivado por el crecimiento y desarrollo económico de la ciudad de Tijuana que encarece el valor del suelo y desplaza a las personas con bajos recursos a zonas baldías como el arroyo Alamar. Estas personas conforman colonias que, a pesar de su crecimiento, no han ocupado el total de las riveras del cauce del arroyo Alamar, por lo que es necesario desarrollar y poner en operación un programa que considere la vulnerabilidad del acuífero a la contaminación como elemento de planificación.

Es preciso evitar, hasta donde sea posible, el depósito de contaminantes en la superficie –como las descargas de aguas residuales y los residuos domésticos, industriales o peligrosos–, ya que éstos tienen la capacidad de infiltrarse hacia el acuífero con la precipitación. Para ello, es de primordial importancia la regulación y control de las actividades que se llevan a cabo en esta zona. El mapa de vulnerabilidad generado con este trabajo puede ser utilizado como guía para la toma de decisiones en los temas relativos a la protección del agua subterránea.

En general, los representantes de las autoridades entrevistados coincidieron en la importancia de mantener el acuífero en condiciones óptimas, se manifestaron a favor de la protección del mismo y resaltaron la utilidad de contar con una herramienta como el mapa de vulnerabilidad del acuífero. Sin embargo, en ninguna de las dependencias oficiales que tienen responsabilidad o atribuciones al respecto se están realizando acciones preventivas para la protección del acuífero, aun cuando la legislación vigente en la materia –en los tres niveles de gobierno– contempla dentro de sus objetivos la protección del acuífero y establece la prohibición de diversas acciones que conlleven a su deterioro. Queda de manifiesto la falta de articulación coherente entre las dependencias, pues mientras unas establecen planes y programas de desarrollo en los que tratan de proteger las zonas de recarga, otras otorgan permisos de construcción en las mismas zonas. Todo indica que la protección del agua subterránea pasa a un segundo plano ante la competencia por el uso del suelo.

Es evidente el incumplimiento de la legislación en materia de protección de acuíferos en los tres niveles de gobierno. Por poner algunos ejemplos, la Comisión Nacional del Agua no cuenta con un programa vigente de protección de acuíferos para el valle de Tijuana, como lo establece el artículo 86, fracción III de la Ley de Aguas Nacionales. El Programa de Ordenamiento Ecológico de Baja California prohíbe la edificación y el establecimiento de asentamientos humanos en áreas de recarga de acuíferos, sin embargo, los asentamientos irregulares en la zona del arroyo Alamar han persistido por años. El PDUCPT 2002-2025 establece la protección de las zonas de recarga acuífera para dejarlas como corredores ecológicos, y menciona específicamente al arroyo Alamar, no obstante éste sigue utilizándose como tiradero y recibiendo descargas de aguas negras.

Por otra parte, los vecinos del arroyo Alamar mostraron una actitud favorable hacia la protección del acuífero. Esta actitud contempla un sentido precautorio y un sentido social de beneficio colectivo. Sin embargo, es innegable la poca coordinación entre autoridades y vecinos para que esa buena disposición se traduzca en acciones concretas que contribuyan a disminuir el deterioro del acuífero.

Este trabajo pretende otorgar una herramienta para que los tomadores de decisiones desarrollen políticas públicas orientadas a la protección del acuífero, para ello será necesario evaluar el riesgo de contaminación, partiendo del análisis de la interacción entre la vulnerabilidad y la carga contaminante impuesta, por lo que se requiere contar con un inventario detallado de las fuentes contaminantes existentes en la zona. Para la protección del acuífero se proponen las siguientes estrategias:

- Aumentar la cobertura de drenaje sanitario en las colonias aledañas al arroyo Alamar y ofrecer alternativas a los asentamientos irregulares a través de organizaciones no gubernamentales para evitar que viertan sus descargas sanitarias directamente al arroyo, en tanto las autoridades deciden su reubicación.

- Considerar en el plan parcial de desarrollo de esta zona la distribución de la vulnerabilidad del acuífero para su protección. Para ello, será necesario hacer cumplir las leyes y normas existentes en materia de uso del suelo, agua subterránea y ordenamiento ecológico del territorio.

- Establecer vigilancia para impedir la proliferación de los tiraderos clandestinos.

- Gestionar recursos para la limpieza de los sitios contaminados con residuos peligrosos, y así evitar que éstos se infiltren hacia el acuífero.

- Solicitar la cooperación de la ciudad de Tecate para que asegure que las descargas de su planta de tratamiento cumpla con los requerimientos de la normatividad vigente.

- Actualizar el inventario de obras de aprovechamiento y sellar apropiadamente los pozos abandonados para impedir que se infiltren contaminantes a través de ellos.

- Crear programas de educación ambiental para la comunidad que enseñen a manejar apropiadamente los residuos peligrosos –tales como pinturas, solventes, aceites, baterías o pesticidas–, así como el valor e importancia de cuidar el agua subterránea.

- Hacer más eficiente la recolección y manejo de residuos sólidos municipales, y establecer días de recolección de residuos peligrosos generados en los hogares.

- Promover la participación conjunta de las autoridades, la industria, las instituciones académicas, las organizaciones no gubernamentales y la comunidad en general en las actividades de protección del acuífero y el suelo.

- Establecer un programa de monitoreo del agua subterránea.

Bibliografía

AGÜERO, Jonathan y Rosendo Pujol. *Análisis de la vulnerabilidad a la contaminación de una sección de los acuíferos del valle central de Costa Rica*, ESRI, 2002, en http://bit.ly/189PDwW. Consultado: 6 agosto 2005.

ALLER, Linda; Truman BENNET; Jay H. LEHR; Rebecca J. PETTY y Glenn HACKETT. *DRASTIC: A Standardized System for Evaluating Ground Water Pollution Potencial Using Hidrogeologic Settings*. Report EPA/600/2-87/036, Ada, United States Environmental Protection Agency, 1987.

ANDER-EGG, Ezequiel. *Técnicas de investigación social*, ciudad de México, El Ateneo, 1987.

AUGE, Miguel. *Hidrogeología ambiental*, Buenos Aires, Universidad de Buenos Aires, 2004.

COMISIÓN ESTATAL DE SERVICIOS PÚBLICOS DE TIJUANA (CESPT). *Reporte técnico. Arroyo Alamar*,Tijuana, CESPT, 2006.

COMISIÓN ESTATAL DEL AGUA (CEA). *Programa estatal hidráulico 2003-2007*, Mexicali, CEA, 2003.

CONAGUA. *Estudio geohidrológico del valle de Tijuana en el estado de Baja California Norte*, Mexicali, Comisión Nacional del Agua, 1979.

——— . *Cuenca del arroyo Alamar, Tijuana, BC, estudio hidrológico*, Ensenada, Comisión Nacional del Agua, 1993.

——— . *Diagnóstico actual y propuesta de explotación y tratamiento de los pozos de agua potable de la ciudad de Tijuana, Baja California*, Mexicali, Comisión Nacional del Agua, 1997.

——— . *Estudio de simulación hidrodinámica de los acuíferos de Tijuana y La Misión, Baja California*, Mexicali, Comisión Nacional del Agua, 1999.

ELEJABARRIETA, F. J. y L. ÍÑIGUEZ. *Construcción de escalas de actitud tipo Thurst y Likert*, Barcelona, Universidad Autónoma de Barcelona, 1984.

ESPINOZA, Ana Elena; Piietro MAGDALENO y Víctor Miguel PONCE. *Arquitectura fluvial sustentable en el arroyo Alamar*, Tijuana/San Diego, Centro de Estudios Sociales y Sustentables/San Diego State University, 2004, en http://bit.ly/1bsndk9. Consultado: 10 octubre 2005.

FALLAS, Jorge. *Evaluación de la vulnerabilidad a la contaminación del agua subterránea en Costa Rica. Una aproximación utilizando el modelo DRASTIC y Sistemas de Información Geográfica*, San José de Costa Rica, Universidad Nacional/Programa Regional de Manejo y Conservación de Vida Silvestre, 2003, en http://bit.ly/18QkyRY. Consultado: 5 junio 2006.

FERNÁNDEZ, Rosario; Arantza HUETO PÉREZ DE HEREDIA; Luis M. RODRÍGUEZ BARREIRO y Carmelo MARCÉN ALBERO. "¿Qué miden las escalas de actitudes? Análisis de un ejemplo para conocer la actitud hacia los residuos urbanos" en *ECOSISTEMAS*, Vol. XXII, N° 2, Murcia, Universidad de Murcia, mayo-agosto de 2003, en http://bit.ly/12HjacL. Consultado: 22 febrero 2006.

FORNEZ AZCOITI, Juan y M. Ramón LLAMAS. "Vulnerabilidad y protección de acuíferos en España. Visión desde la investigación" en Javier Samper, Jorge Molinero y Gemma Soriano (eds). *Jornadas sobre la contaminación de las aguas subterráneas. Un problema pendiente*, Valencia, Asociación Internacional de Hidrogeólogos/Grupo Español, 1998, pp. 339-355.

GRAIZBORD, Carlos y Suzanne M. MICHEL. *Los ríos urbanos de Tecate y Tijuana. Estrategias para ciudades sustentables*, San Diego, Institute for Regional Studies of the Californias/San Diego State University, 2002.

HIRATA, Ricardo y Aldo REBOUÇAS. *La protección de los recursos hídricos subterráneos. Una visión integrada, basada en perímetros de protección de pozos y vulnerabilidad de acuíferos*, 2001, en www.medioambienteonline.com. Consultado: 17 octubre 2005.

HORNSBY, Arthur G. *Agua subterránea. El recurso oculto*, Gainesville, University of Florida, 2000, en http://edis.ifas.ufl.edu. Consultado: 24 mayo 2006.

INEGI. *SCINCE por colonias: XII Censo General de Población y Vivienda*, Aguascalientes, INEGI, 2000.

——— . *Cuaderno estadístico municipal de Tijuana, Baja California*, Aguascalientes, INEGI, 2005.

MARTÍN-ARRIBAS, María Concepción. "Diseño y validación de cuestionarios" en *Matronas profesión*, Vol. V, N° 17, Madrid, Federación de Asociaciones de Matronas de España, 2004, pp. 23-29.

PÉREZ MONTEAGUDO, Fernando. "Criterios para una explotación sustentable del agua subterránea 2. Aspectos cualitativos y estrategias para el manejo de acuíferos" en *Ingeniería hidráulica en México*, Vol. XVIII, N° 1, ciudad de México, Instituto Mexicano de Tecnología del Agua, 2003, pp. 5-20.

PERRY, James y Elizabeth VANDERKLEIN. *Water Quality: Management of a Natural Resource*, Cambridge, Blackwell Science, 1996.

VARGAS RUIZ, Rodrigo. "Escala de actitudes hacia la tecnología en el aprendizaje escolar aplicada a niños y niñas de primaria pública en Costa Rica. Análisis de validez y confiabilidad" en *Actualidades en Psicología*, Vol. XIX, N° 106, San José de Costa Rica, Universidad de Costa Rica, 2003, pp. 24-45.

WAKIDA, Fernando T.; Luis E. PONCE-SERRANO; Eulalia MONDRAGÓN-SILVA; E. GARCÍA-FLORES; David N. LERNER y Guillermo RODRÍGUEZ-VENTURA. "Impact of a Polluted Stream on its Adjacent Aquifer: The Case of the Alamar Zone, Tijuana, México" en Neil R. Thompson (ed). *Bringing Groundwater Quality Research to the Watershed Scale*, Wallingford, International Association of Hydrological Sciences Press, 2005, pp. 141-147.

La contaminación del acuífero del arroyo Alamar de Tijuana: elementos para una evaluación del riesgo

Marnie González Estévez*
Vicente Sánchez Munguía**

Uno de los recursos naturales más limitados en nuestro planeta es el agua dulce, y en particular la de origen subterráneo. El incremento en la demanda y la disminución en la disponibilidad –fundamentalmente ocasionada por el deterioro en su calidad– generan problemas cada vez más graves para el abastecimiento, tanto a nivel local como regional, e incluso a nivel global. En otras palabras, el vertiginoso aumento de las actividades humanas, a consecuencia del crecimiento poblacional, ha traído aparejado un incremento en el consumo de agua dulce para la producción de bienes y un aumento consecuente en la contaminación generada, lo que ha comprometido la disponibilidad de ese recurso (Auge, 2006; Yoshinaga y Albuquerque, 2002).

Es así que la escasez de agua dulce se ha impuesto como uno de los temas contemporáneos predominantes en las agendas de los gobiernos en todo el mundo. Esto se debe a la compleja problemática que la falta de disponibilidad de agua dulce impone al desarrollo, a la salud y a la supervivencia de múltiples especies, incluida la humana. Además, la escasez de agua dulce eventualmente podría llevar a enfrentamientos incontrolados por el acceso al preciado recurso.

Por otro lado, es notorio el predominio del agua de origen subterráneo sobre el agua de origen superficial en el abastecimiento humano, debido principalmente a su menor costo y a que posee una mejor calidad al estar más protegida de la contaminación (Auge, 2006), aunque

* Universidad Autónoma de Baja California, Campus Valle de las Palmas. Correl: marnieglez@yahoo.es.

** El Colegio de la Frontera Norte, Departamento de Estudios de Administración Pública. Correl: vsanchez@colef.mx.

en casos como el que se trata en este trabajo es más que evidente la relación entre corrientes superficiales y acuíferos.[1]

Es indispensable recordar que la distribución del agua dulce en el planeta está lejos de ser homogénea, habiendo regiones con muy alta precipitación, abundantes ríos y lagos, mientras que otras regiones representan lo opuesto: una muy limitada precipitación y escasez extrema de fuentes para disponer del agua mientras su demanda crece (Cortez *et al.*, 2005). En este último contexto se encuentra México, cuyas condiciones de aridez y baja precipitación en una parte considerable de su territorio obligan a pensar en acciones de protección de los escasos recursos hídricos existentes y de las condiciones ambientales que aseguren su disponibilidad, a efecto de garantizar la satisfacción de la demanda y la conservación de la valiosa biodiversidad de la que es fuente, aun en su limitada cuantía.

Este trabajo se inserta en el contexto de la escasez del agua en condiciones de limitada precipitación pluvial, que hacen del noroeste de México y de la península de Baja California uno de los territorios con menor disponibilidad de agua en el país. Al mismo tiempo, en ciudades que han venido creciendo de forma acelerada –tanto en su población como en el espacio sobre el que se asientan– el abastecimiento de agua constituye una preocupación constante, siendo Tijuana un caso representativo (SEDUM, 2002).

El objetivo que se propone este trabajo es hacer un acercamiento a la determinación del riesgo de contaminación del acuífero del arroyo Alamar, que a pesar de ser una de las pocas fuentes disponibles de agua con que cuenta la ciudad ha sido aparentemente poco valorado por las distintas autoridades relacionadas con la política y la gestión del agua en la región. La determinación se hace a partir de una aplicación de la metodología propuesta por Foster *et al.* (2002).

Contextualización del problema

La ciudad de Tijuana se surte principalmente de agua proveniente de fuentes superficiales, y en menor medida de fuentes de agua subterránea. El agua de origen superficial proviene del río Colorado. Es transportada por el acueducto Río Colorado-Tijuana desde el valle de Mexicali hasta la presa El Carrizo, a un costo de un dólar por metro cúbico de agua (SEDUM, 2002; Sánchez, 2006). Adicionalmente, se

---

1 Uno de los factores que han contribuido a la escasez del agua es la contaminación de que han sido objeto las fuentes, tanto superficiales como subterráneas, afectando la disponibilidad del recurso para su aprovechamiento.

Plano 1
Subcuenca del arroyo Alamar

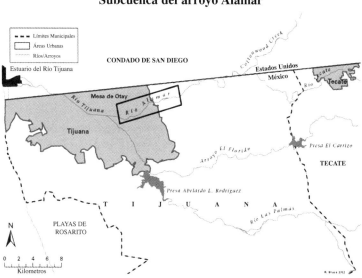

Fuente: Michel y Graizbord (2002).

cuenta con la presa Abelardo L. Rodríguez, que recoge aguas de origen pluvial a través de las corrientes del río Las Palmas y del arroyo El Florido. Esta presa fue por un tiempo la fuente principal para abastecer de agua a Tijuana, pero diversos factores –como las características climatológicas y de urbanización de esta ciudad, y el hecho de que las fuentes superficiales en la región se encuentran expuestas en mayor medida a la contaminación– han conducido a la dependencia casi absoluta del bombeo de agua del río Colorado. No obstante, consideramos que es pertinente una mayor atención en los acuíferos con que cuenta la urbe.

En el área de Tijuana el agua de origen subterráneo es extraída de dos acuíferos: el que subyace al río La Misión y el correspondiente a los subálveos del río Tijuana-arroyo Alamar, que se encuentran dentro del perímetro urbano de la ciudad. Este trabajo se enfoca específicamente en el acuífero que se ubica en el subsuelo del arroyo Alamar.

Antecedentes del área de estudio

El arroyo Alamar forma parte del sistema hidrológico de la cuenca del río Tijuana, la cual es compartida por México y Estados Unidos.

Este cauce de agua recorre a la ciudad de Tijuana por 9.8 km, que van desde el puente Cañón del Padre hasta el tramo revestido de concreto, de 2.5 km, ubicado a la altura de la central camionera de la misma ciudad (Plano 1). Con posterioridad el mencionado arroyo se une al río Tijuana, el cual desemboca al océano Pacífico en Imperial Beach, en el condado de San Diego (Gutiérrez, 2006; Michel y Graizbord, 2002; CONAGUA, 1999).

La zona del arroyo Alamar no ha podido escapar a la dinámica del crecimiento poblacional que se viene dando desde hace algunas décadas en la ciudad de Tijuana, a lo que hay que agregar la localización de actividades de tipo industrial en las cercanías. Uno de los conglomerados más grandes de la industria maquiladora se localiza en la Ciudad Industrial, al sur de la Mesa de Otay, a la vez que otras zonas industriales se encuentran en las inmediaciones del área de estudio. Igualmente, podemos mencionar que otros factores importantes por el impacto que tienen en la zona estudiada son la escasa planeación urbana y la carencia de control administrativo sobre la expansión de la ciudad, lo que ha convertido al Alamar en un cuerpo receptor de descargas de contaminantes y la deposición de basura. Y es que el arroyo Alamar no cuenta con la ordenación urbana o con un encausamiento adecuado de sus aguas, por lo que actualmente conforma un espacio de transición para el crecimiento urbano integral de Tijuana entre la zona oeste, ya consolidada, y el este de la ciudad, aún en desarrollo. (Espinoza *et al.*, 2004). Se considera que todos los factores mencionados anteriormente constituyen las causas primarias de la pérdida del capital natural en el arroyo Alamar (Michel, 2001).

Por otra parte, hay que tener en cuenta que el Alamar, además de sus funciones naturales, posee funciones derivadas del actual uso del suelo –agricultura, ganadería, asentamientos habitacionales, industria y extracción de productos pétreos–características de una zona urbana en donde cruzan arroyos y ríos, sin embargo, algunas de estas actividades resultan incompatibles con los usos del suelo designados (SEDESOL-IMPLAN, 2005; Espinoza *et al.*, 2004).

Considerado todo lo expuesto antes, se colige que en la actualidad la condición de abastecedor de agua del arroyo Alamar está amenazada por los problemas de contaminación ambiental que éste enfrenta. De acuerdo con estudios realizados, el acuífero conformado tanto por el río Tijuana como por el arroyo Alamar se encuentra contaminado (Wakida *et al.*, 2005; Guzmán, 1998). A este fenómeno contribuyen la carencia de infraestructura de saneamiento y la falta de control de las

Plano 2
Superposición de los parteaguas, el acuífero y el área de estudio

Fuente: Elaboración propia.

distintas instancias de gobierno sobre las actividades que se realizan en el área (IMPLAN, 2007; Sedesol-IMPlan, 2005).

De acuerdo con la Comisión Nacional del Agua (CONAGUA), hasta 1990 existían 167 obras de aprovechamiento de agua subterránea en el área de estudio, y para 1999 sólo quedaban ocho en operación (CONAGUA, 1999), las restantes fueron dadas de baja en 1991 debido a que el agua extraída del acuífero del arroyo Alamar no cumple con los límites máximos permitidos por la NOM-127-SSA1-1994 y es enviada a la planta potabilizadora Monte de los Olivos para su tratamiento (CESPT, *Reporte técnico: Arroyo Alamar*, citado en Gutiérrez, 2006).

El problema de contaminación del acuífero del arroyo Alamar

En la actualidad, uno de los mayores problemas que enfrenta la zona abarcada por el acuífero del arroyo Alamar es la contaminación. Según la CONAGUA, hasta 1999 el aporte de agua del acuífero del arroyo Alamar al consumo de la ciudad de Tijuana representaba 20%, sin embargo, estudios más recientes indican que esta urbe depende hasta en más de 90% de agua importada desde el río Colorado (Wakida *et al.*, 2005). Ambos estudios coinciden en no recomendar el uso directo de esta agua para el consumo humano, debido a que su calidad no cumple con los parámetros establecidos.

La zona recorrida por el arroyo Alamar y su acuífero es afectada por numerosos problemas relacionados con las actividades que se realizan en su entorno, así como por la falta de políticas ambientales, controles e instrumentos necesarios para evitar un mayor deterioro ambiental. Estos problemas, a su vez, se traducen en un incremento en el riesgo de contaminación del acuífero subyacente y en una disminución en la calidad del agua obtenida a partir de éste.

Ante la importancia de las fuentes de agua subterránea para la ciudad de Tijuana, y con los antecedentes de contaminación observados en el acuífero del arroyo Alamar, este trabajo plantea que hay un elevado riesgo de contaminación del acuífero del arroyo Alamar como consecuencia de su alto grado de vulnerabilidad y de las numerosas fuentes generadoras de carga contaminante que se localizan en el área que éste abarca. Por ello, el objetivo de la investigación y del trabajo que aquí se presenta fue determinar el riesgo de contaminación al que se hallaba expuesto el acuífero de este arroyo.

Algunas consideraciones en la delimitación del área de estudio

El área que se consideró a efecto de este estudio abarca más allá de la que estrictamente delimita al acuífero del arroyo Alamar y su zona de recarga, también fueron considerados parcialmente los parteaguas del arroyo, en el supuesto de que todas las fuentes potencialmente contaminantes que se hallan sobre éstos podrían escurrir al área de recarga del acuífero y contribuir a su contaminación.[2]

En consecuencia, el área de estudio quedó delimitada del siguiente modo. Al norte por el bulevar Industrial, que posteriormente continúa en la carretera de cuota Tijuana-Tecate y al sur por el bulevar Cucapah, que continúa en la calzada Guaycura. Ambos límites coinciden con las coordenadas UTM que delimitan al norte y al sur las latitudes del plano del área del acuífero, obtenido por Gutiérrez (2006). Del mismo modo, los límites este y oeste se mantuvieron según el mencionado plano.

Es importante mencionar que para los fines de este trabajo se conservó la fragmentación física del arroyo Alamar en tres zonas,

---

2   El área del acuífero fue tomada del plano base generado por Gutiérrez (2006), con una escala 1:10,000, en donde se muestra el contorno del acuífero y la superficie abarcada por el mismo. En el plano, el área de estudio se dividió en celdas de 500 x 500 metros, de lo que resultó que la superficie del acuífero quedó distribuida en 89 celdas de 0.25 km² cada una. El plano se realizó en la proyección cartográfica UTM, datum horizontal WGS84, en las coordenadas que van desde la longitud 503,000 E a 514,000 E y desde la latitud 3,596,500 N a 3,602,000 N. Este plano se obtuvo a partir de un plano topográfico de la misma escala elaborado por la Unidad de Sistema de Información Geográfica del Instituto Municipal de Planeación (IMPLAN). Los parteaguas del arroyo Alamar fueron tomados del Atlas de Riesgos municipal.

Plano 3
Área de estudio

delimitadas en sentido oeste-este por el bulevar Manuel J. Clouthier y el bulevar Terán Terán, según lo planteado por Espinoza *et al.* (2004). La delimitación completa del área de estudio puede observarse en los Planos 2 y 3.

Metodología

Para determinar el riesgo de contaminación del acuífero se estimó primero la carga contaminante a la que está siendo sometido. Con ese propósito, se levantó un inventario de fuentes potenciales de contaminación localizadas en el área de estudio, posteriormente se clasificó y estimó la carga contaminante asociada a cada una de las fuentes potenciales identificadas y se elaboró un mapa con esta información. Por último, se procedió a plasmar la interacción entre la vulnerabilidad intrínseca y la carga contaminante a la que está siendo sometido el acuífero, resultando el mapa de riesgo a la contaminación de este cuerpo de agua subterránea.

Inventario de fuentes contaminantes

De acuerdo con Foster *et al.* (2002), el tipo de inventario y el grado de detalle requerido deben ser función del objetivo final del programa de

Cuadro 1
Clasificación y categorización de fuentes
de contaminación difusa (método POSH)

Potencial de carga contaminante al subsuelo	Fuente de contaminación	
	Saneamiento in situ	Prácticas agropecuarias
Elevado	Cobertura del servicio de drenaje menor a 25% y densidad poblacional superior a 100 personas/ha	Cultivos comerciales intensivos y la mayoría de los monocultivos en suelos bien drenados en climas húmedos o con baja eficiencia de riego. Pastoreo intensivo sobre praderas altamente fertilizadas.
Moderado	Intermedio entre elevado y reducido	
Reducido	Cobertura del servicio de drenaje mayor a 75% y densidad poblacional inferior a 50 personas/ha	Rotación de cultivos tradicionales. Pastoreo extensivo. Sistemas de granjas ecológicas. Cultivos bajo riego de alta eficiencia en áreas áridas.

Fuente: Foster *et al.* (2002).

trabajo, del tamaño del área bajo estudio, de la variedad de actividades presentes, de la disponibilidad de datos existentes, del presupuesto financiero y del personal técnico disponible.

Una vez identificados los tipos de actividades que se realizaban en el área, se procedió a buscar las fuentes de información a partir de las cuales fuera posible obtener datos acerca de las fuentes contaminantes.[3] Se pudieron identificar cinco tipos de actividad: asentamientos humanos irregulares, prácticas agropecuarias (siembra de hortalizas y cría de cerdos y vacas), extracción de materiales pétreos, actividades industriales y actividades urbanas de tipo variado.[4]

---

3 Es muy probable que se hayan dejado fuera algunas fuentes contaminantes por la falta de información registrada o la necesidad de recorridos de campo más exhaustivos.

4 La información se obtuvo mediante recorridos de campo, el uso de imágenes satelitales de Google Earth, información del Directorio de Fabricantes y de Maquilas de Baja California (2007) y del Listado de Parques Industriales de Tijuana (2007). Los recorridos de campo se realizaron con equipo de GPS (sistema de posicionamiento global) y cámara fotográfica, que además de permitir identificar, documentar y ubi-

Cuadro 2. Clasificación y categorización de fuentes puntuales de contaminación (método POSH)

Potencial de carga contaminante al subsuelo	Fuente de contaminación				
	Disposición de residuos sólidos	Sitios industriales*	Lagunas de efluentes	Urbanas varias	Actividad minera
Elevado	Residuos de industrias tipo 3, residuos de origen desconocido	Industrias tipo 3, cualquier actividad que maneje > 100 kg/día de sustancias químicas	Todas las industrias tipo 3, cualquier efluente (excepto aguas residuales residenciales) si el área es > 5 ha		Operación de campos de petróleo, minas de metales
Moderado	Precipitación > 500 mm/año, con residuos residenciales/ industriales tipo 1/ agroindustriales. Todos los otros casos	Industrias tipo 2	Agua residual residencial si el área es > 5 ha, otros casos que no figuran en las categorías anterior y posterior	Gasolineras, rutas con tráfico regular de sustancias químicas peligrosas	Algunas minas Canteras de materiales inertes
Reducido	Precipitación < 500 mm/año, con residuos residenciales/ industriales tipo 1/ agroindustriales	Industrias tipo 1	Efluente residencial, urbano mezclado, agroindustrial y minero no metálico si el área < 1 ha	Cementerios o panteones	

* Los terrenos contaminados por industrias abandonadas deberían tener la misma categoría que las propias industrias.

Industrias tipo 1: carpinterías, fábricas de alimentos y bebidas, destilerías de alcohol y azúcar, procesamiento de materiales no metálicos.

Industrias tipo 2: fábricas de caucho, pulpa y papel, textiles, artículos eléctricos, fertilizantes, detergentes y jabones.

Industrias tipo 3: talleres mecánicos, refinerías de gas y petróleo, manufacturas de pesticidas, plásticos, productos farmacéuticos y químicos, curtidurías, fábricas de artículos electrónicos, procesamiento de metal.

Fuente: Foster et al. (2002).

Clasificación y estimación de la carga contaminante (método POSH)

Una vez inventariadas las fuentes potencialmente contaminantes del área de estudio, se procedió a la clasificación y estimación de la carga contaminante que se halla asociada a las mismas. El criterio que se tuvo en cuenta para clasificar las fuentes contaminantes fue de acuerdo con la distribución espacial que éstas poseen. Según este criterio, las fuentes de contaminación se clasificaron en fuentes de contaminación difusa y fuentes de contaminación puntual.

Independientemente del tipo de clasificación espacial que se le haya otorgado a cada fuente contaminante identificada, se caracterizó y estimó la carga contaminante generada por cada una de ellas con la metodología POSH, desarrollada por Foster *et al.* (2002). Este método permite caracterizar las fuentes potenciales de carga contaminante sobre la base de dos características fácilmente estimables y que dan lugar a su nombre: el origen del contaminante (*Pollutant Origin*) que se obtiene asociando la posibilidad de presencia de una sustancia contaminante del agua subterránea con el tipo de actividad antrópica, y la sobrecarga hidráulica asociada (*Surcharge Hydraulically*) obtenida sobre la base del uso del agua en la actividad relacionada.

Este método genera tres niveles cualitativos de potencial de generación de una carga contaminante[5] al

Figura 1
Esquema conceptual para la evaluación del riesgo de los recursos hídricos subterráneos

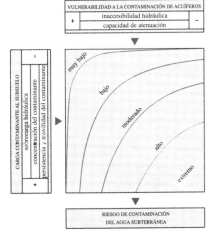

Fuente: Foster e Hirata (1991).

car algunas fuentes generadoras de contaminación, sirvieron para verificar parte de la información obtenida durante el trabajo de gabinete.

5   Una vez clasificadas y estimadas las cargas contaminantes (potencial de carga contaminante) se procedió a asociar a cada cuadrícula –de las 89 que conforman el acuífero– la carga contaminante a la que está siendo sometida en esa área en específico. A las cuadrículas en donde coincidieron varias fuentes contaminantes con diferente potencial de carga (elevada, moderada o reducida) les fue asignado el máximo valor

Cuadro 3
Matriz para evaluar el riesgo de contaminación
del acuífero del arroyo Alamar

Riesgo de contaminación		Vulnerabilidad a la contaminación			
		Baja (1)	Media (2)	Alta (3)	Muy alta (4)
Carga contaminante al subsuelo (potencial)	No detectada	0	0	0	0
	Reducido (1)	1	2	3	4
	Moderado (2)	2	4	6	8
	Elevado (3)	3	6	9	12

Rango de valores para el riesgo de contaminación del acuífero:
■ Muy alto: 8-12; ■ Alto: 4-6; ☐ Moderado: 2-3;
☐ Bajo: 1; ☐ Muy bajo 0

Fuente: Elaboración propia.

subsuelo: reducido, moderado y elevado, que fueron asociados en este trabajo con los valores 1, 2 y 3 respectivamente (Cuadros 1 y 2).

Estimación de la vulnerabilidad (método DRASTIC)

Los datos de vulnerabilidad intrínseca del acuífero del arroyo Alamar fueron tomados de la estimación realizada por Gutiérrez (2006), mediante una aplicación del método DRASTIC, desarrollado por Aller *et al.* (1987).

Evaluación del riesgo de contaminación

Como se mencionó con anterioridad, el riesgo de contaminación de los acuíferos puede ser determinado considerando la interacción entre la carga contaminante aplicada al subsuelo como resultado de las

---

de potencial de carga contaminante que posean las fuentes ubicadas en ella. Cuando las fuentes potencialmente contaminantes se ubicaron en cuadrículas fuera de las 89 que conformaban el acuífero, su potencial de carga contaminante fue asignada a la celda inmediata inferior que sí formaba parte del acuífero, como sucedió con las industrias del sur de la Mesa de Otay, que aunque se ubican fuera del área del acuífero escurren a él.

actividades humanas, y la vulnerabilidad del acuífero a la contaminación. Así, en términos prácticos, la evaluación del riesgo involucra la consideración de esta interacción (Foster e Hirata, 1991) mediante la superposición de los resultados del inventario de cargas contaminantes al subsuelo con el mapa de vulnerabilidad a la contaminación de acuíferos (Plano 1).

En este trabajo se multiplicaron los valores de potencial de carga contaminante por los valores de vulnerabilidad en cada una de las 89 celdas, determinando así el riesgo de contaminación al que se hallaba expuesto el acuífero. A las celdas en donde no se localizaron fuentes contaminantes se les asignó un valor de potencial de carga contaminante igual a cero, interpretándolo como "no detección de carga contaminante".

Teniendo en cuenta las clasificaciones de carga contaminante planteadas por el método POSH, así como las clasificaciones de vulnerabilidad planteadas por el método DRASTIC, se elaboró la matriz que permitió evaluar el riesgo de contaminación al que se halla expuesto el acuífero del arroyo Alamar (Cuadro 3).

Resultados y discusión

Inventario de fuentes contaminantes

A partir del inventario de fuentes contaminantes que se elaboró, se localizaron en total 89 fuentes o sitios distribuidos en toda el área de estudio. La localización geográfica de cada una de ellas se puede observar en los Planos 4 y 5, en donde se pueden identificar mediante el código que les fue asignado.

La mayoría de las fuentes contaminantes potenciales se localizó en las zonas 1 y 2 del área de estudio, que ocupan las porciones occidental y central del Alamar respectivamente y, que a su vez, corresponden con las zonas más cercanas al perímetro urbano de la ciudad de Tijuana y, por ende, son las más urbanizadas.

Cada una de las fuentes identificadas quedó incluida en uno de los cinco tipos de actividades realizadas en la zona (asentamientos humanos irregulares, prácticas agropecuarias, extracción de materiales pétreos, industrial y urbanas varias). De estos grupos de actividades, el más representativo fue el conformado por el de actividades de tipo industrial, que se constituyó en más de la tercera parte de las actividades realizadas en el área de estudio y representó 78.7% de las fuentes potencialmente contaminantes. El resto de las actividades en conjunto

Plano 4
Imagen satelital de la localización geográfica de las fuentes
contaminantes potenciales del acuífero del arroyo Alamar

Fuente: Elaboración propia.

representaron 21.4%, siendo las actividades agropecuarias las de mayor peso con 11.2%, mientras que los asentamientos irregulares, la extracción de pétreos y las actividades urbanas varias, representaron 3-4% cada una.

Igualmente, se identificaron tres áreas bien definidas de asentamientos humanos irregulares en ambas márgenes del arroyo, localizadas dentro de la zona 2. La clasificación se efectuó de acuerdo a la planteada por Foster *et al*. (2002) –descrita en el Cuadro 2– de donde se obtiene que los tres asentamientos irregulares aportaban al acuífero un potencial de carga contaminante elevado, lo cual se relaciona con la alta densidad poblacional (mayor a 100 habitantes por hectárea) y a la carencia total de sistema de drenaje.

También se identificaron diez fuentes de contaminación a partir de prácticas agropecuarias, de las cuales ocho resultaron campos de cultivo y dos resultaron establos, uno vacuno y uno porcino. Este tipo de prácticas se encontró distribuido en todo lo largo del área del acuífero, en particular los campos de cultivo. La clasificación se efectuó de acuerdo a la planteada por Foster *et al*. (2002) –descrita en el Cuadro 2–, resultando que los ocho campos de cultivo aportaban al acuífero un potencial de carga contaminante moderado, mientras que los establos aportaban un potencial de carga contaminante elevado.

En el área se identificaron tres sitios en donde se efectúa la extracción de materiales inertes en las márgenes del arroyo. De éstos, dos

Plano 5
Localización geográfica de las fuentes contaminantes potenciales del acuífero del arroyo Alamar

Fuente: Elaboración propia.

resultaron ser sitios de extracción y almacenamiento de grava y arena, mientras que el restante resultó ser un sitio de elaboración de ladrillos, para lo cual también se extraían materiales del lugar. Este tipo de actividad se encontró en las zonas 1 y 3 del acuífero. La clasificación se efectuó de acuerdo a la planteada por Foster *et al*. (2002) –descrita en el Cuadro 3– y de ésta resultó que los sitios de extracción de pétreos aportaban al acuífero un potencial de carga contaminante moderado.

Se identificaron tres sitios catalogados dentro de la categoría de actividades urbanas varias, de los cuales dos resultaron ser centros de acopio de chatarra automotriz y el sitio restante fue la central camionera de la ciudad. Todas estas fuentes se localizaron dentro de la zona 1, que constituye la más urbanizada de las tres que conforman el área de estudio. La clasificación se efectuó de acuerdo a la planteada por Foster *et al*. (2002) –descrita en el Cuadro 3– y de ésta resultó que las fuentes de este tipo aportaban al acuífero un potencial de carga contaminante moderado.

La actividad de tipo industrial es predominante en el área de estudio, habiéndose identificado 70 sitios en donde se desarrollaba. Todos se localizaron dentro de las zonas 1 y 2 del Alamar, que correspondían con las más urbanizadas. Dentro de la zona 1 la mayor parte de las industrias se ubicó dentro del parque industrial FINSA, mientras que en

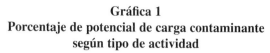

Gráfica 1
Porcentaje de potencial de carga contaminante según tipo de actividad

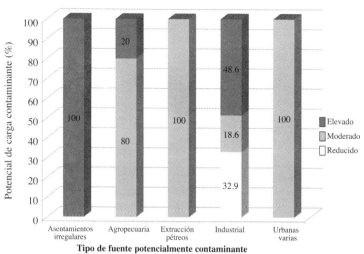

Fuente: Elaboración propia.

la zona 2 la mayoría de éstas se localizó en Ciudad Industrial Nueva Tijuana. Ambos grupos de fuentes se pueden distinguir como altas concentraciones de puntos en los Planos 4 y 5.

Las industrias quedaron agrupadas en 12 sectores de actividad diferentes, siendo los más representativos el de equipo electrónico y eléctrico, el de artículos metálicos y el de artículos plásticos, que constituyeron en conjunto 47.2% de las fuentes industriales. La estimación del potencial de carga contaminante asociado a estas fuentes se efectuó de acuerdo a lo planteado por Foster *et al.* (2002) –descrita en el Cuadro 4– de lo cual resultó que 32.9% de las industrias aportaba un potencial de carga contaminante reducido, 18.6% contribuía con un potencial moderado y la mayoría, 48.6%, aportaba un potencial de carga elevado (Gráfica 1), lo que coincide con el hecho de que las industrias más contaminantes son aquellas que corresponden a los sectores más representados en el inventario industrial. En la misma gráfica se pueden observar los porcentajes que representó cada categoría de potencial de carga contaminante, dentro de cada uno de los cinco tipos de actividades que se desarrollaban en el área de estudio.

Plano 6
Carga contaminante del acuífero del arroyo Alamar

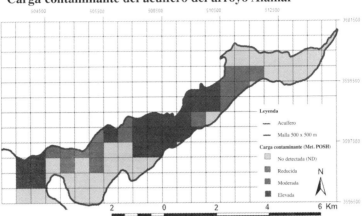

Fuente: Elaboración propia.

Estimación de la carga contaminante del acuífero

A partir de los datos del inventario de fuentes contaminantes y de la asignación de un potencial de carga contaminante a cada una de las actividades se obtuvo el mapa de carga contaminante del acuífero del arroyo Alamar (Plano 6). En este mapa se puede observar la distribución de los diferentes potenciales de carga contaminante a lo largo de toda el área del acuífero. En él se distinguen claramente dos áreas en donde el potencial de carga contaminante es elevado, las cuales coinciden con las áreas en donde se encontraron las fuentes de origen industrial altamente concentradas, correspondientes a los dos parques industriales de la parte sur de la Mesa de Otay (FINSA y Ciudad Industrial Nueva Tijuana). En estas dos zonas de potencial de carga contaminante elevado también incidieron otros tipos de actividades como las urbanas varias, los asentamientos irregulares, los campos de cultivo y los establos, y en menor medida la extracción de pétreos.

Es visible también la existencia de dos áreas en los extremos suroccidental y oriental, en donde no se detectó potencial de carga contaminante. Esto viene a representar las áreas del acuífero en donde no fueron localizadas actividades potencialmente contaminantes. La porción más oriental coincidió con la parte menos urbanizada del acuífero y más alejada de la ciudad, por lo cual se desarrollaba un

Gráfica 2
Porcentaje de los potenciales de carga contaminante
por cada zona del acuífero

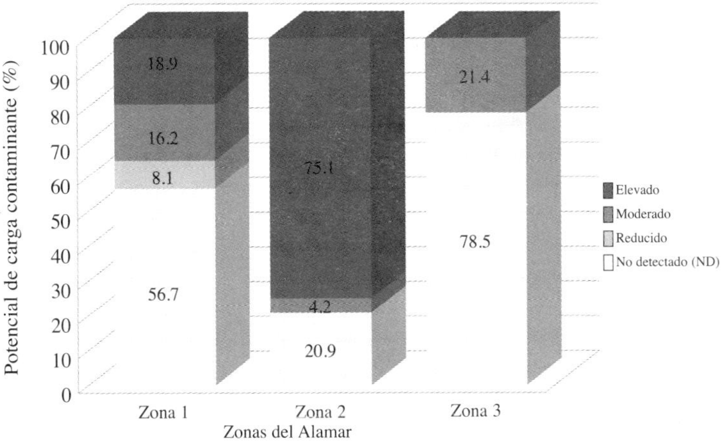

Fuente: Elaboración propia.

menor número de actividades que pudiera generar contaminación a este cuerpo de agua.

En la Gráfica 2 se puede observar el porcentaje de la distribución de los diferentes potenciales de carga contaminante en las tres zonas que conforman el acuífero. En esta gráfica se ve que en la zona 1 del Alamar se estableció casi un "equilibrio" entre el potencial de carga contaminante nulo, con 56.7% del área, y el resto de los potenciales de carga contaminante en su conjunto, que suman 43.3%. Esto se debió a que la zona 1 del Alamar es la más extensa y concentra las fuentes contaminantes en su porción noroccidental, las cuales se corresponden generalmente con las industrias del parque industrial FINSA.

Por otra parte, en la zona 2 del Alamar se observó un predominio del potencial de carga contaminante elevado (75.1%), que correspondió con el aportado por las industrias de Ciudad Industrial Nueva Tijuana, por los asentamientos irregulares ubicados en esta zona del acuífero y, en menor medida, por los establos y campos de cultivo. La zona 2 del Alamar es en donde se observó una mayor concentración de actividades potencialmente contaminantes.

Por último, se puede ver cómo en la mayor parte de la zona 3 del Alamar no se detectó (ND) carga contaminante (78.5 %), lo que es resultado de las pocas fuentes contaminantes situadas en esa zona del acuí-

Gráfica 3
Porcentaje de los potenciales
de carga contaminante en toda
el área del acuífero

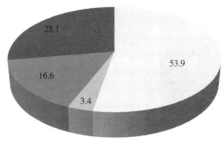

☐ No detectada (ND) ☐ Reducido ▨ Moderado ▮ Elevado

Fuente: Elaboración propia.

fero. 21.4% del potencial de carga asociado a la zona resultó moderado, que correspondió con las actividades extractivas y agropecuarias que fueron las únicas identificadas en esta sección del acuífero. El escaso número de actividades realizadas en esta zona hizo de ella la del menor potencial de carga contaminante dentro del área de estudio, dado que era la menos urbanizada de las tres que la conforman.

En la Gráfica 3 se pueden ver los porcentajes de las cuatro categorías de carga contaminante en toda el área del acuífero. De esta gráfica se desprende que en el acuífero se establecía prácticamente un "balance" entre las áreas en donde no se realizaban actividades potencialmente contaminantes (53.9 %) y aquellas en que sí se localizaron fuentes que potencialmente podrían contaminar este cuerpo de agua (46.1 %), con un ligero predominio de las zonas en donde no fue detectada carga contaminante. Estas zonas se correspondieron con los extremos suroccidental y oriental del acuífero. Hubo un predominio de la categoría elevado (28.1 %) sobre las áreas con potencial de carga contaminante moderado y reducido, que implica que las actividades realizadas en el área de estudio poseían una elevada probabilidad de contaminar el agua del acuífero, de ahí que requieran un elevado control y constante monitoreo.

Mapa de vulnerabilidad

Los datos de vulnerabilidad intrínseca fueron tomados del trabajo elaborado por Gutiérrez (2006). En el Plano 7 se muestra el mapa de vulnerabilidad del acuífero, en donde se observa que una gran parte de él posee una vulnerabilidad muy elevada, desde su porción central hasta la oriental, mientras que la vulnerabilidad baja y media predominan hacia su porción occidental.

Plano 7
Mapa de vulnerabilidad del acuífero del arroyo Alamar

Fuente: Gutiérrez, 2006.

Evaluación del riesgo de contaminación

Una vez obtenidos los mapas de carga contaminante y de vulnerabilidad intrínseca del acuífero, se procedió a solaparlos para generar
el mapa de riesgo de contaminación del acuífero del arroyo Alamar
(Plano 8). Es importante mencionar que este mapa es válido sólo si se
tienen en cuenta las fuentes contaminantes identificadas en este trabajo. De hacerse otro inventario de cargas contaminantes, o de incorpo-
rarse nuevas actividades potencialmente contaminantes en el área de
estudio, habría que volver a elaborar dicho mapa para contemplar la
carga contaminante que aportan estas nuevas actividades.

En el mapa se puede observar cómo queda distribuido el riesgo
de contaminación en toda el área del acuífero. Se pueden distinguir
dos zonas bien definidas en donde el riesgo es extremo, una hacia la
porción central del acuífero y otra hacia la porción suroriental, que
se explica porque en ellas coincidían potenciales de carga elevado y
moderado con una vulnerabilidad muy alta, lo que favorecía la contaminación del acuífero en esas zonas. Esto resultó de la combinación
de las características que tenían las actividades realizadas así como
de las propiedades físicas que poseía el acuífero en esas zonas. También son visibles dos zonas hacia el noroeste del acuífero en donde
el riesgo de contaminación es alto. Por otra parte, se observan dos
zonas homogéneas en donde el riesgo de contaminación es muy bajo,

Plano 8
Mapa de riesgo de contaminación del acuífero del arroyo Alamar

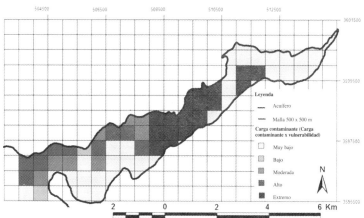

Fuente: Elaboración propia.

correspondientes a las porciones suroccidental y oriental. Éstas son el resultado de no haberse localizado fuentes contaminantes en el lugar (de las inventariadas durante este trabajo), no detectándose potencial de carga contaminante, lo cual conduce a que el riesgo de contaminación en esas áreas del acuífero sea muy bajo, aunque sus propiedades físicas favorezcan la contaminación.

En la Gráfica 4 se muestra cómo se comportó el riesgo de contaminación en cada una de las tres zonas en que queda dividido el Alamar. De la gráfica se desprende que en la zona 1 el comportamiento del riesgo de contaminación fue el más heterogéneo dentro de todo el acuífero, lo que resultó del comportamiento también heterogéneo del potencial de carga contaminante y del índice de vulnerabilidad en esta zona.

Por su parte, la zona 2 del Alamar mostró ser la más propensa a contaminarse, con 70.9% de riesgo de contaminación extremo y alto. Esto se debió a que en dicha zona la carga contaminante resultó mayormente elevada y la vulnerabilidad resultó muy alta y alta.

En la zona 3 del Alamar se puede observar que fue la menos propensa a contaminarse (78.5 %), a pesar de que resultó ser la de vulnerabilidad más elevada. Esto se explica por el hecho de que, a pesar de que la zona 3 es la más sensible físicamente a la contaminación, en ella no se identificaron fuentes generadoras de carga contaminante y el riesgo de que la zona se contamine es bajo o muy bajo (MB).

Gráfica 4
Porcentaje de los potenciales de riesgo de contaminación
por cada zona del acuífero

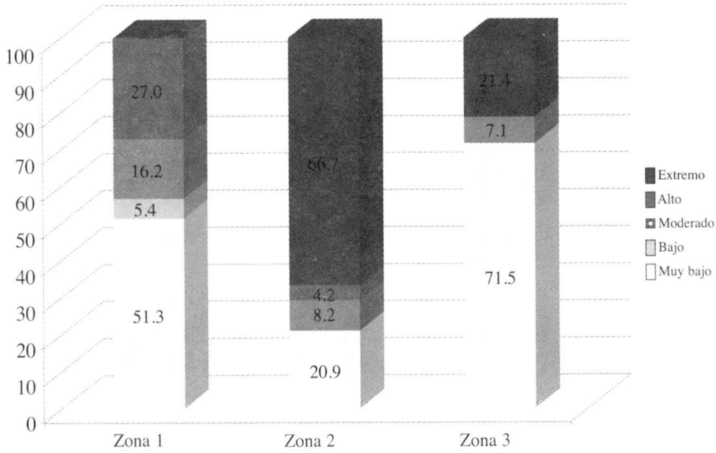

Fuente: Elaboración propia.

En la Gráfica 5 se muestra cómo se comportó el riesgo de contaminación en toda el área del acuífero. Aproximadamente la mitad del área del acuífero mostró un riesgo de contaminación muy bajo (51.7 %), correspondiente con las áreas en donde no se detectó carga contaminante según las actividades inventariadas durante el estudio. En la otra mitad del área del acuífero (48.3 %) se detectó riesgo de contaminación, el cual se distribuyó en las cuatros categorías restantes (extremo, alto, moderado y bajo). Las zonas con riesgo de contaminación alto (extremo y alto) representaron 37.1% del área del acuífero, es decir, poco más de la tercera parte de su superficie, y es en estas zonas sobre las que se debe centrar la atención y extremar las medidas de prevención y control.

Conclusiones

El agua es un recurso cuya disponibilidad es cada vez más escasa, al mismo tiempo que las fuentes disponibles se encuentran más expuestas a contaminación originada en las actividades desplegadas por la sociedad –en especial en los espacios que se han integrado como parte de los conglomerados urbanos–, en donde la ausencia de infraestructura de servicios tiende a convertir los cauces de las corrientes superficiales

Gráfica 5
Porcentaje del riesgo de contaminación en toda el área del acuífero

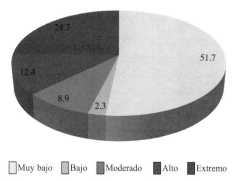

☐ Muy bajo ☐ Bajo ■ Moderado ■ Alto ■ Extremo

Fuente: Elaboración propia.

en el vertedero de aguas residuales y todo tipo de desechos, sin atribuir ningún valor al agua superficial o subterránea que cruza o se aloja en sus inmediaciones. Este tipo de cuestiones se antojan más críticas cuando se trata de casos localizados en zonas cuya escasez natural ya plantea de por sí grandes desafíos a las colectividades humanas ahí asentadas.

Este trabajo constituyó una aproximación al problema de contaminación de las escasas fuentes de agua subterránea con que cuenta la ciudad de Tijuana, en particular la contaminación del acuífero del arroyo Alamar. Al respecto, la información expuesta y analizada arriba, nos indica que aproximadamente la mitad del área que abarca el acuífero del arroyo Alamar se encuentra en riesgo de hallarse contaminada en algún grado. El mayor porcentaje del área presenta un riesgo de contaminación que va de extremo a alto. Estas áreas coincidieron con las porciones noroccidental, central y suroriental, en donde la interacción entre la vulnerabilidad y la carga contaminante impuesta al acuífero resultó en zonas altamente expuestas a la contaminación. La otra mitad del área comprendida por este acuífero presentó un riesgo de contaminación muy bajo, lo cual se correspondió con las áreas dentro del mismo en donde no se identificaron fuentes potencialmente contaminantes durante el levantamiento del inventario. Estas áreas se localizaron en la porción suroccidental y extremo oriental, que tienen como característica común estar menos urbanizadas.

El mayor riesgo de contaminación del acuífero del arroyo Alamar se encontró en la zona 2, en donde converge una vulnerabilidad muy alta con una carga contaminante elevada. Es en esta zona en donde se identificó un mayor número de fuentes potencialmente contaminantes, de ahí que sea esa sección la que requiere una mayor atención a las actividades que se realizan. En contraste, la zona del Alamar con menor riesgo de contaminación del acuífero es la 3, ya que no obstante a ser la de vulnerabilidad más alta, fue en donde se identificó un menor número de actividades potencialmente contaminantes y, por tanto, una menor carga contaminante asociada a esta sección del acuífero.

La actividad industrial fue la fuente potencialmente contaminante más significativa dentro del área de estudio, además de tener los potenciales de contaminación más elevados. Estos altos potenciales de carga contaminante se debieron a que la mayoría de las industrias identificadas pertenecía a sectores industriales altamente contaminantes por el tipo de sustancias que manejan. Estos sectores fueron electrónico-eléctrico, artículos metálicos y artículos de plástico.

Por otro lado, aunque la actividad agropecuaria ocupa un segundo lugar por tratarse de pequeñas extensiones de terreno –prácticamente de subsistencia y por tanto con bajo empleo de agroquímicos–, no aportó altos índices de carga contaminante como para incrementar el riesgo de contaminación del acuífero.

El otro tipo de actividad que tenía lugar en el área de estudio y que resultó con carga contaminante significativa aportada al acuífero fue el saneamiento *in situ*, representado en este trabajo por los asentamientos humanos irregulares ubicados en las márgenes del arroyo Alamar y que carecían por completo de infraestructura de drenaje.

Los otros tipos de actividades identificadas, cuyo potencial de carga contaminante asociado resultó moderado o bajo, cobraron importancia al hallarse en zonas en donde coincidieron con otras actividades que sí aportaban una carga contaminante considerable al acuífero. Esto se vio reflejado en varias zonas del Alamar en donde se observó que en un mismo sitio incidían diferentes actividades, y por tanto, diferentes tipos de carga contaminante. Cada una de ellas contribuye a la carga contaminante general que le está siendo impuesta al acuífero.

El riesgo de contaminación al que estaba expuesto el acuífero del arroyo Alamar fue alto en poco más de la tercera parte del área que abarca. Al tomar en cuenta los antecedentes de falta de control en el sitio y la contaminación que se viene dando a consecuencia de ellos, podemos inferir que los resultados obtenidos no eran los esperados dado que el inventario de fuentes contaminantes realizado tuvo limitaciones, pues tratándose de una zona dinámica con interacción de múltiples actividades y cambios en los patrones de uso del suelo, seguramente se escaparon detalles de información. En el futuro será necesario que se actualice el inventario con mayor detalle, teniendo en cuenta las zonas de los parteaguas del arroyo Alamar y contando con información sobre las fuentes contaminantes identificadas en el inventario –tales como las concentraciones y volúmenes de las sustancias contaminantes que manejan–, con el propósito de estimar con mayor exactitud la carga contaminante que aportan al acuífero.

Otros factores que pudieron haber influido en la evaluación de las cargas contaminantes, y probablemente en la subvaluación del riesgo de contaminación del acuífero, pudieron ser las limitaciones inherentes a la metodología empleada como consecuencia de la disponibilidad de información acerca de las fuentes contaminantes. La metodología POSH no considera las concentraciones ni los volúmenes de contaminantes emitidos por cada una de las fuentes, lo cual hace difícil conocer el área de influencia real de cada una de estas actividades y hasta dónde contribuyen en realidad a la contaminación del acuífero.

Aun con las limitaciones señaladas, el trabajo permitió tener una aproximación al grado de riesgo de contaminación del acuífero, indicando áreas específicas, actividades y fuentes potencialmente contaminantes en la zona del Alamar, información básica para sugerir la urgencia de que las autoridades con competencia en el tema asuman un mayor control y vigilancia de las actividades que se desarrollan en el área, para proteger la calidad del valioso recurso que almacena el acuífero del arroyo Alamar.

Bibliografía

ALLER, Linda; Truman BENNET; Jay H. LEHR; Rebecca J. PETTY y Glenn HACKETT. *DRASTIC: A Standardized System for Evaluating Ground Water Pollution Potential Using Hydrogeologic Settings, Report EPA/600/2-87/036*, Ada, United States Environmental Protection Agency, 1987.

AUGE, Miguel. *Agua subterránea. Deterioro de calidad y reserva*, Buenos Aires, Universidad de Buenos Aires, 2006.

COMISIÓN NACIONAL DEL AGUA (CONAGUA). *Estudio de simulación hidrodinámica de los acuíferos de Tijuana y La Misión, Baja California*, Mexicali, CONAGUA, 1999.

CORTEZ LARA, Alfonso Andrés; Scott WHITEFORD y Manuel CHÁVEZ MÁRQUEZ (coords). *Seguridad, agua y desarrollo. El futuro de la frontera México-Estados Unidos*, Tijuana, El Colegio de la Frontera Norte/Michigan State University, 2005.

ESPINOZA, Ana Elena; Piietro MAGDALENO y Víctor Miguel PONCE. *Arquitectura fluvial sustentable en el arroyo Alamar*, Tijuana/San Diego, Centro de Estudios Sociales y Sustentables/San Diego State University, 2004, en http://bit.ly/1bsndk9. Consultado: mayo 2008.

FOSTER, Stephen; Ricardo HIRATA; Daniel GOMES; Monica D'ELIA y Marta PARIS. *Protección de la calidad del agua subterránea. Guía para empresas de agua, autoridades municipales y agencias ambientales*, Washington DC, Banco Mundial, 2002.

—— y Ricardo HIRATA. *Determinación del riesgo de contaminación de aguas subterráneas. Una metodología basada en datos existentes*, Lima, Centro Panamericano de Ingeniería Sanitaria y Ciencias del Ambiente/Organización Mundial de la Salud, 1991.

GUTIÉRREZ ANIMA, Arizbé. *Análisis de vulnerabilidad a la contaminación del acuífero del arroyo Alamar y actitud social hacia su protección*, tesis de maestría, Tijuana, El Colegio de la Frontera Norte/Centro de Investigación Científica y Educación Superior de Ensenada, 2006.

GRAIZBORD Carlos y Suzanne M. MICHEL. *Los ríos urbanos de Tecate y Tijuana. Estrategias para ciudades sustentables*, San Diego, San Diego State University, 2002.

IMPLAN. *Programa Parcial de Desarrollo Urbano del Arroyo Alamar 2007-2018. Versión abreviada*, Tijuana, IMPLAN, 2007.

MICHEL, Suzanne (ed). *The Alamar River Corridor: An Urban River Park Oasis in Tijuana, Baja California, México*, San Diego, San Diego State University, 2001, en http://irsc.sdsu.edu/bdrlnk2000.pdf. Consultado: mayo 2008.

SEDESOL-IMPLAN. *Programa parcial de conservación y mejoramiento urbano para la zona del arroyo Alamar. Primera etapa, caracterización ambiental del arroyo Alamar*, Mexicali, 2005, en http://bit.ly/12kw5kX. Consultado: mayo 2008.

SÁNCHEZ MUNGUÍA, Vicente "La gestión del agua en Tijuana, Baja California" en David Barkin (coord). *La gestión del agua urbana en México. Retos, debate y bienestar*, Guadalajara, Universidad de Guadalajara, 2006, pp. 265-285.

SEDUM. *Programa de Desarrollo Urbano del Centro de Población de Tijuana 2002-2025*, Tijuana, SEDUM, 2002, en http://bit.ly/10PDivR. Consultado: mayo 2008.

WAKIDA, Fernando T.; Luis E. PONCE-SERRANO; Eulalia MONDRAGON-SILVA; E. GARCIA-FLORES; David N. LERNER y Guillermo RODRÍGUEZ-VENTURA. "Impact of a Polluted Stream on its Adjacent Aquifer: The Case of the Alamar Zone, Tijuana, Mexico" en Neil R. Thompson (ed). *Bringing Groundwater Quality Research to the Watershed Scale*, Wallingford, International Association of Hydrological Sciences Press, 2005, pp. 141-147.

YOSHINAGA PEREIRA, Sueli y Geroncio ALBUQUERQUE ROCHA. "Recursos hídricos" en Fernando Repetto L. y Claudia Karez C. (eds). *II Curso Internacional de Aspectos Geológicos de Protección Ambiental*, Campinas, Oficina Regional de Ciencia de la UNESCO para América Latina y el Caribe, 2002, pp. 138-178.

La conciliación en el corredor del arroyo Alamar, una asignatura pendiente de la gobernabilidad en Tijuana, Baja California

Ricardo V. Santes-Álvarez*

A principios de 2008, representantes gubernamentales y empresariales de Baja California firmaron un acuerdo cuyo objetivo era instrumentar acciones para agilizar los cruces por las garitas hacia Estados Unidos (Salinas, 2008; ADT, 2008). La crítica del momento resaltó dos aspectos: por un lado, el hecho de que "por fin" los distintos sectores llegaran a un arreglo, por otro, la interrogante de saber quién daría la indicación a los vecinos del norte para que actuaran en consecuencia con tal acuerdo.

Al margen de su percepción anecdótica, el tema merece reflexión, pues revela algunas aristas concatenadas sobre el estado de la gestión de los asuntos fronterizos. De inicio, la existencia de algunos retos sobre los cuales los distintos actores –públicos y privados– se sientan a dialogar finalmente; al paso de los años sobreviven pendientes y el camino que conduce a obtener buenos resultados ha sido bloqueado, precisamente por la falta de entendimiento entre esos actores. A esto se suma la precaria comprensión de una región en donde confluyen dos países con alta asimetría, polo de atracción para personas provenientes de sitios lejanos y concentradora de actividades productivas, y que obliga a pensar los asuntos en un contexto complejo; asimismo, la necesidad de convocar a los actores clave de cada lado, locales y centrales, con la finalidad de construir estrategias viables y de beneficio mutuo de cara a los problemas.

Y no parece haber otra opción, pues las ciudades fronterizas de Baja California enfrentan fenómenos contrastantes, que les favorecen pero a la vez les afectan. Tijuana, en concreto, se precia de ser la ciu-

---

* El Colegio de la Frontera Norte, Departamento de Estudios Urbanos y Medio Ambiente. Correl: rsantes@colef.mx.

dad en donde se registra el mayor número de visitantes –nacionales y extranjeros–, ocurre un alto intercambio comercial con Estados Unidos y, en consecuencia, se suscita el mayor número de cruces internacionales de la frontera norte. Sin embargo, es patente que esa dinámica ha acarreado incomodidades y conflictos, como el difícil acceso y cruce por la línea internacional, así como el tráfico ilegal de personas y mercancías (ADT, 2008).

En Tijuana también se presenta una de las más altas concentraciones de establecimientos industriales, entre los que destacan los del tipo *maquiladora*, y se registra una baja tasa de desempleo dentro del contexto nacional (Díaz, 2003). Ello ha generado problemas de crecimiento desordenado de las actividades económicas, altas tasas de crecimiento poblacional, y una planeación ineficaz del tráfico vehicular, que traen aparejados fenómenos como disponibilidad insuficiente e ineficiente de infraestructura, expansión incontrolada de la mancha urbana, asentamientos irregulares y en zonas de riesgo, y la presencia de un parque automotor añejo e irregular en muchos casos.

El panorama descrito es detonante de mayores problemas –como la contaminación ambiental y los daños a la salud–, y no puede soslayarse que la situación de inseguridad pública que actualmente golpea a la frontera norte y al país en general colma la complejidad de asuntos que preocupan a Tijuana y su región. Es evidente que la gestión de esos asuntos constituye un desafío para la gobernabilidad de esa localidad fronteriza, máxime que los resultados no apoyan una opinión favorable sobre la labor hasta ahora realizada. La existencia de marcos normativos y organizacionales que definen competencias y patrones de trabajo en los distintos órdenes de gobierno, y de políticas de crecimiento con mayor sentido social y de cuidado ambiental, no deriva en acciones exitosas de coordinación en el interior del sector público y de éste con los miembros del sector productivo; tampoco hacen diferencia en la relación entre esos grupos de poder y los diversos sectores sociales. No obstante, en todo ese periplo la inmovilidad no ha sido la opción, y la gestión ha avanzado en un clima de acuerdo limitado y tratamiento fragmentado de los asuntos.

Como se anota, uno de los varios aspectos que conforman la complejidad tijuanense es la proliferación de asentamientos humanos, que subsisten desatendidos por la normalidad jurídica y la dotación de satisfactores. El impacto de ese fenómeno es sensible e intenso en el municipio, llegando a trastocar la gestión pública al influir en el éxito o fracaso de las acciones de política, esto es, en la gobernabilidad. Sabido es que esa situación de irregularidad no es nueva ni sorprendente, mucho menos espontánea, pues las personas que establecen su residencia en sitios inadecuados y de riesgo han sido soslayadas, o acaso han recibido una atención deficiente por parte de los encargados de hacer la política y administrar la cuestión pública, no sólo a partir del momento de ubicarse ahí, sino desde mucho antes de llegar a esa situación. Al margen de que se ofrezca o no solución a su estatus jurídico, las condiciones actuales obligan a cavilar sobre la importancia de que ese sector social, que vive *en* y *con* los problemas más agudos, no quede privado de participar en el debate público. Como apuntan Ingram *et al.* (1994: 34), si bien los arreglos entre gobiernos permiten a las agencias negociar entre sí, el hecho de no tomar en cuenta los intereses de la gente local –y, en este caso, la más vulnerable– les condena al fracaso.

De manera concomitante a los asuntos internos, en la frontera emergen otras circunstancias que se comparten con los vecinos del norte, por lo que se requieren estrategias que garanticen éxito en la negociación bilateral con respecto a problemáticas que son prioritarias para los mexicanos. La gestión en ese marco no tiene alternativa, porque está visto que lo que acontece en un lado de la frontera tiene repercusiones en el otro, y esa circunstancia es incompatible con visiones unilaterales. En esa óptica, resulta relevante que gobierno y actores principales de la economía de Baja California ventilen intereses y establezcan compromisos, ya que agilizar los cruces por las garitas internacionales hacia el país vecino es una necesidad apremiante, puesto que con ello se reducen costos en las horas/hombre perdidas diariamente en interminables filas. Aunque, ciertamente, falta una cartera grande de temas por discutir.

El diálogo y el acuerdo son positivos desde cualquier ángulo, pero la iniciativa queda corta si en el proceso no se considera el espectro de actores más amplio posible. Si en todo escenario la resolución de problemas refiere a la efectividad en la coordinación de los responsables y los interesados, la situación que deriva de la calidad del acuerdo en la frontera México-Estados Unidos es más compleja por confrontarse asuntos que comparten países francamente distantes en niveles de desarrollo, amén de capacidades y prácticas. Vale reflexionar en consecuencia sobre las condiciones presentes y futuras de Tijuana, en donde es imprescindible saber en qué medida su propia dinámica ha impactado positivamente las condiciones que guarda y coadyuvar así a su gobernabilidad; alternativamente, saber también la medida en que dicha dinámica ha contribuido a su deterioro y con ello a su ingobernabilidad.

Este capítulo tiene una intención más modesta que la de responder a tal cuestionamiento, aunque no por ello es menos ambiciosa. En concordancia con el objetivo de esta obra, aquí se pretende develar explicaciones a la actual situación sociopolítica y ambiental del corredor del arroyo Alamar –esto es, el arroyo y su área de influencia– y explorar alternativas para su mejora. Se plantea que la propuesta de una política de conciliación, instrumentada por mecanismos de diálogo y acuerdo, constituye una opción positiva para la gobernabilidad en el área. En esta idea queda implícita la necesidad de considerar la relación bilateral, pues los imponderables de la gobernación en una región de colindancia internacional en donde la posibilidad del conflicto es perenne, llevan a inquirir sobre la capacidad de los gobiernos para echar a andar, en sus respectivos territorios, iniciativas que arrojen beneficios comunes.

La problemática en torno al corredor del arroyo Alamar (en lo sucesivo, el Alamar) conjuga procesos y fenómenos diversos. Aquí se revisa el marco de su gobernación, un *locus* poco explorado y que en algunos trabajos se recoge como sugerencia de estudios subsecuentes (por ejemplo, en Ponce *et al.*, 2004: 25; Gutiérrez, 2006: 76-77), pues el mismo ha de arrojar explicaciones a la actual problemática y definir los espacios de oportunidad que coadyuven a mejorar su estado de cosas.

Alternativas de la política

En el espacio público se habla de "políticas públicas" o, simplemente, de "políticas", para referirse a aquellas concreciones que surgen luego de procesos de negociación entre grupos de interés, tendientes a obtener beneficios de las posibles acciones para tratar un asunto. Del cúmulo de definiciones existente (por ejemplo, Heywood, 2000: 33-34; Danzinger, 1994: 5-6), aquí se entiende a las políticas como expresiones de la convivencia social interpretadas por el Estado, que definen cursos de acción respecto a asuntos específicos. La concepción gira en torno a la influencia y a los intereses y valores en la esfera pública.

Las políticas son motivo de crítica porque, con frecuencia, faltan al cumplimiento de sus objetivos, o al menos de las expectativas generadas (Olavarría, 2007: 89). Con el fin de moderar la crítica, las políticas deben diseñarse con apego al escenario más realista posible en función de los recursos a mano, humanos y materiales, con lo que se evitaría generar expectativas difícilmente realizables. En ese sentido, la fase inicial de las políticas, esto es, su propia hechura, es un primer punto de análisis, pues marca el éxito o fracaso de la gestión pública.

Problemas y cursos de acción

En una perspectiva racional, la hechura de políticas sigue un proceso que inicia con un asunto que se reconoce como motivo de acción pública y se define como problema, y termina con la evaluación de las acciones instrumentadas para resolverlo. El ciclo se repite, partiendo del anterior, con la aparición/construcción de nuevos problemas. Lindblom y Woodhouse comentan que el método "paso por paso" empieza con un examen de cómo surgen los problemas y aparecen por primera vez en la agenda política; de ahí, sigue un análisis de cómo los actores políticos formulan opciones de actuación, cómo resultan las acciones legislativas o de otro tipo, cómo los administradores instrumentan la política, y cómo ésta es evaluada (Lindblom y Woodhouse, 1993: 10). Se dice que este "ciclo de vida" de las políticas soslaya lo irracional de la política, llena de orientaciones cognitivas, lo mismo que de sentimientos y evaluaciones (Parsons, 1995: 77). La observación es, sin embargo, injusta en la medida en que en el inicio del ciclo está la identificación de un problema, que en sí misma no es atribuible al procedimiento ulterior, sino más bien lo condiciona. Es esencial, por tanto, prestar atención a esa etapa y verificar que en ella se obtenga un acuerdo amplio sobre el asunto a tratar entre los actores involucrados.

Propuestas alternativas sobre la hechura de políticas "más realistas" contemplan en su diseño 1) lo irracional de la política, 2) la dificultad de contar con todos los elementos que conforman una "buena" política, y 3) la concesión de que las políticas avanzan poco a poco, mediante procesos de "ensayo-y-error". Así, los autores hablan de diseños de racionalidad limitada, incrementales, o de "bote de basura" (Olavarría, 2007: 73-79). Sin embargo, vale decir que en el fondo de todas esas propuestas subyacen dos aspectos torales: la definición de los problemas y la determinación de los cursos de acción.

Todas las propuestas parten definiendo un problema, el cual ha de ser objeto de una política pública. Sin embargo, un primer dilema es que, siendo político, el problema se define en los términos que prefieren los sectores de influencia; por ello, lo que se reconoce como problema no conlleva forzosamente el reflejo de una realidad tangible ni las propuestas de su "solución" beneficiarán a todos por igual, pues no necesariamente se han de diseñar con el ánimo de servir al mayor interés público.

Huelga decir que un estado de cosas se percibe como "problema" cuando afecta en cierto grado a una esfera de intereses, o presenta "carencias objetivas en la sociedad" (Olavarría, 2007: 10). Pero otra esfera puede no percibir como problema la misma condición, y aquí surge el dilema del "problema de definir el problema". El peso de las orientaciones sobre lo político condiciona la definición y es fundamental para lo subsecuente, por lo que quienquiera que primeramente identifique un problema conforma los términos iniciales en los cuales será debatido (Jones, en Parsons, 1995: 87). En esta línea, se insiste, es frecuente que una situación quede definida como problema (o no) según las preferencias de los actores con poder (Olavarría, 2007: 10-11), y así entra (o no) a la arena pública. No obstante, sirve remarcar que la discusión amplia de un asunto determinará su grado de aceptación como *El problema*. Si ello ocurre, se habrá arribado a un acuerdo de origen y a un punto de partida hacia una solución adecuada, pues se tenderán los puentes que acerquen opiniones confrontadas. En el extremo opuesto, la consecuencia más probable es el conflicto.

La subjetividad de la definición de los problemas y los cursos de acción que han de adoptarse surge, en muchos casos, por datos erróneos, escasos o ausentes. Pero aun existiendo datos suficientes y confiables, hay que considerar al menos dos escenarios: primero, la posibilidad frecuente que los actores los interpreten de manera distinta, a pesar de ser los mismos (el hecho de compartirlos no significa que vean la misma cosa, lo que les lleva a concebir de manera diferente los problemas y los cursos de acción). Segundo, la posibilidad, también frecuente, de que no todos los interesados cuenten con los datos existentes por causa de la cerrazón de la autoridad competente, lo que es incluso más importante para el resultado de las propuestas de política que la inexistencia de datos.

En un escenario de percepciones, la evaluación y selección de opciones contendrán la inevitable subjetividad. No obstante, las políticas deben hacerse operativas; alguien ha de hacerlo. Tarde o temprano, todas las propuestas de hechura de políticas utilizan la racionalidad, necesaria para hacer coherente y práctico lo que nació como político. En efecto, tanto la perspectiva racional como los modelos realistas tratan con asuntos que nacen en el seno de grupos de poder –quienes marcan los lindes de los cursos de acción a seguir–, y en la definición de "cursos de acción" se contrastan orientaciones como conocimiento, sentimientos y evaluaciones. Estas últimas, que resultan de procesos reflexivo-analíticos de los individuos al pretender explicarse el por qué de los acontecimientos, son regularmente las menos comunes (Danzinger, 1994: 28). Por ello, los cursos de acción de las políticas reciben fuerte incidencia de conocimientos parciales y sesgados, confrontación de intereses individuales o sectoriales, así como rechazo o aceptación sin justificación aparente. Sin duda, el proceso refleja actitudes individuales o de sectores sociales inherentes a una sociedad inmersa en una determinada cultura política, pero finalmente configura un desafío para la convivencia social armónica.

Diálogo y acuerdo en una política de conciliación

Parece que la opción para la hechura de las políticas consiste en llevar a cabo análisis sistemáticos de todos los elementos de los problemas que eventualmente requieren de una política, lo que significa –ha de reiterarse– iniciar con una aproximación racional que permita reconocer las relaciones causa-efecto del estado de cosas, y así encontrar alternativas para su resolución. Pero aquí ha de llamarse la atención sobre lo poco probable que resulta, por un lado, contar con todos los elementos inherentes a los problemas y, por otro, llegar a un acuerdo amplio sobre su constitución. No cabe duda que esta situación se magnifica en sistemas de gobernación convencional, en donde solamente los actores gubernamentales y los grupos de elite se encargan de definir la agenda pública.

Ha de considerarse que "acuerdo amplio" significa acomodarse a un estado de incertidumbre (por existir vacíos de información que pueden ser relevantes), lo mismo que a una pluralidad de actores (individuos y organizaciones sociales interesados en participar en aquello que les afecta) quienes regularmente son excluidos del debate de la discusión de los asuntos públicos. Por una parte, el reparo de los actores de hallarse frente a circunstancias de desinformación en donde nadie tiene ventajas, sirve para generar un clima de equidad proclive al diálogo; por otra parte, en la ocurrencia de la inclusión, se contará con la participación de quienes viven *con* o se hallan inmersos *en* los problemas, misma que complementará la visión de aquellos que viven *de* y *para* los problemas, y se estará en posibilidad de acordar con amplitud sobre mejores cursos de acción para solucionarlos.

Diálogo y acuerdo adquieren relevancia para la configuración de políticas relativas a problemas vigentes o a proyectos de desarrollo. En las sociedades modernas, los esquemas de gobernación superior o gobernanza introducen esos aspectos a la luz de una perspectiva doble; primero, un compromiso real a objetivos democráticos, en donde la comunidad exhibe un deseo de participar mientras que el gobierno exhibe voluntad para permitir la participación activa; y segundo, un compromiso para cuidar los recursos que dan sustento al sistema sociopolítico y ambiental. De hecho, si los problemas o proyectos se perciben como causas potenciales de algún impacto negativo en el sistema, los políticos y los administradores públicos deben tomar las medidas necesarias para evitarlos. No obstante, esos compromisos también se convierten en constreñimientos principales de la gobernación, pues si los actores fallan a ellos, la gobernación falla también; en el peor de los escenarios, la posibilidad de la gobernanza queda cancelada.

En sociedades de países en vías de desarrollo, las propuestas de gobernación superior parecen utópicas; empero, toca a esas sociedades construir mejores escenarios de convivencia que garanticen una relación equilibrada entre gobernantes y gobernados. La pluralidad de actores ha de definir sus propios mecanismos de ejercicio de poder que permitan el tránsito de esquemas autoritarios –o de gobierno convencional– a formas de gobernanza. En ese orden, la gobernación demanda reformas que permitan confrontar con cierto grado de éxito los problemas políticos y socioambientales, entre ellas, modificaciones a los esquemas de participación e inclusión social, acceso a la información, y responsabilidad. Estas reformas no representan el rango total de principios que existen alrededor de una gobernación superior (Badenoch, 2002: 15), pero son un buen cimiento y pueden catalizar otras acciones.

La participación en la toma de decisiones en asuntos de interés general por parte de aquellos cuya cotidianeidad refleja su calidad de vida es igualmente importante en temas de educación, salud, finanzas, medio ambiente, y gobierno (Hazen, 1997); su ocurrencia es responsabilidad de los propios interesados, aunque no implica que haya de ser tomada en cuenta por la autoridad. Como contraparte, la inclusión de los actores no gubernamentales es responsabilidad de la autoridad, quien con ello revela voluntad de permitir que los ciudadanos participen en los temas que les interesan y afectan; es consciente, por otro lado, que incorporar a más interesados en la toma de decisiones reditúa en su beneficio una legitimidad incrementada a sus iniciativas. Sin embargo, la participación y la inclusión son apenas puntales para el fortalecimiento de un régimen democrático, ergo, un régimen en donde todas las voces se escuchen y cuenten. Se requiere asimismo adicionar otros aspectos, como el acceso a la información y la responsabilidad.

La ciudadanía debe contar con la misma información que posee el resto de actores sobre un problema específico, o por lo menos con la información que juzgue suficiente. Es verdad que, tratándose del tema de acceso a la información, diferentes sociedades responden de manera distinta a la pregunta de cuánto es suficiente (Jasanoff, 1996: 65-66); no obstante, sí hay acuerdo en que los ciudadanos pueden volverse más participativos para identificar y resolver problemas cuando están informados sobre los hechos básicos de su calidad de vida. Para Hazen, (1997) el derecho a la información es la herramienta eficaz para fortalecer políticamente (*to empower*) a las comunidades y grupos de ciudadanos para que debatan, en condiciones similares, iniciativas de gobernantes y empresarios que comprometen la calidad social y ambiental.

En esa tesitura, los regímenes democráticos deben incrementar la responsabilidad gubernamental. En vista de la complejidad de la sociedad moderna, esta demanda parece oportuna, pero resulta incompleta sin la existencia de un mecanismo de corresponsabilidad que involucre a la sociedad, pues si bien, por un lado un gobierno responsable puede afianzar más la legitimidad necesaria para tomar decisiones difíciles (Patten 2000), por el otro, una sociedad responsable puede garantizar mejores resultados de las decisiones gubernamentales cuando sus cuerpos de profesionales y organizaciones no gubernamentales asumen papeles en los asuntos públicos.

Pensando en ese marco de fines supremos, la perspectiva de un estrechamiento de la relación gobierno-sociedad es básica para construir un marco de diálogo y acuerdo y, con ello, arribar a una fase de gobernación satisfactoria. Esta última implica, consecuentemente, la existencia de mecanismos que consoliden la política de conciliación entre los sectores de influencia y los representantes de comunidades y organizaciones sociales. La problemática que aqueja al corredor del Alamar –que se expone a continuación– urge de una estrategia política que recoja y haga funcionar esta opción.

El estado del Alamar

El Alamar forma parte de la cuenca del río Tijuana, misma que desemboca al Océano Pacífico en Imperial Beach, en San Diego, California. Su ubicación e influencia le da un carácter de cuenca binacional (Ponce, 2001). Se trata de un corredor ripario consistente de un cauce y un área de inundación, y una variedad de grupos de vida vegetal (Michel 2001: 9). Asimismo, es un corredor sometido por largo tiempo a una fuerte presión antrópica, a grado tal que sus condiciones físico-biológicas han sido impactadas, y el escenario natural-social resultante es ya inseparable. Esa condición de complejidad ha de recogerse al examinar el corredor.

Investigaciones del grupo *Borderlink* determinaron una zonificación del Alamar en tres segmentos (Michel, 2001: 9-10) que ha sido utilizada en trabajos posteriores para propósitos de planificación y gestión pública (Figura 1).[1] En una dirección oeste-este se determina que la zona 1 del Alamar corresponde a una sección urbanizada, que inicia en la parte terminal de la canalización del río Tijuana, al sur de Mesa de Otay, y se extiende hasta el puente del bulevar Manuel Clouthier, también conocido como Gato Bronco. Se caracteriza por tener asentamientos irregulares dentro de la zona federal y actividades primarias y terciarias. El hábitat ripario se halla perturbado y se presume que el agua se encuentra contaminada por aportes urbanos y agrícolas, además de descargas ilegales de actividades residenciales, comerciales e industriales. La presencia de tiraderos de residuos sólidos complica el panorama ambiental. Por otro lado, tanto en ésta como en las demás zonas se informa de la presencia de pozos que han proporcionado agua para usos agrícolas y recreativos, e incluso para consumo humano, aunque actualmente la calidad del agua no es adecuada para este fin (Tijuana-SEDESOL, 2005: 26; Gutiérrez, 2006: 17).

La zona 2 es una sección de "transición", que va de Gato Bronco al bulevar Otay-Matamoros (puente Héctor Terán) en donde existen actividades agrícolas y de minería de arenas. En una presunta intención de expandir los asentamientos, se ha depositado cascajo de materiales de construcción y restos de asfalto en el cauce. Los caminos de terracería y puentes de llantas son parte del paisaje. En los taludes de la parte norte se observan los establecimientos industriales de Otay, presumiéndose que desde ahí ocurren aportes de contaminantes. Los tiraderos de todo tipo de materiales son una constante. Por otra parte, la vegetación aparece menos perturbada que en la zona 1.

La zona 3, que inicia en el puente Héctor Terán y termina en el puente de la carretera de cuota Tijuana-Tecate, se tipifica como la sección rural del corredor y la menos perturbada; ahí la vegetación en general exhibe cierto grado de conservación, y las actividades son agricultura, ganadería, fabricación de ladrillo en pequeña escala (Tijuana-SEDESOL, 2005: 26) y extracción de materiales. Los asentamientos humanos se ubican en el área de inundación por lo que ahí ocurren impactos: la vegetación se entremezcla con viviendas, basura, y área agrícola. Además, en el cauce se depositan llantas, chatarra y residuos domésticos. En la parte sur del corredor se detecta el menor impacto ambiental, seguramente por ser un área con bajo poblamiento.

---

1 Se sugiere consultar en esta obra la caracterización física del Alamar elaborada por Hugo Riemann en este mismo libro.

Plano 1
Zonificación del corredor del río Alamar

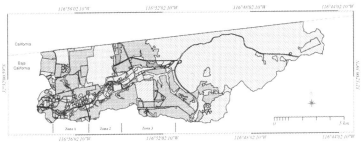

Zona 1. Sección urbanizada, parte terminal de la canalización del río Tijuana hasta el puente Blvd. M. Clouthier.

Zona 2. Sección de "transición".

Zona 3. Sección rural, puente H. Terán hasta carretera de cuota Tijuana-Tecate.

Fuente: Elaboración de Hugo Riemann.

Es evidente que esta sistematización del Alamar toma en cuenta sus características naturales, pero sobre todo las pautas de apropiación antrópica que han ocurrido en el lugar, que se materializan tanto en puentes, bulevares, erección de asentamientos irregulares como en prácticas de explotación del suelo y demás recursos. El Alamar es muestra de una irregularidad "regularizada" y presenta problemas sociales y ambientales críticos.

El estado del ambiente

El crecimiento poblacional y económico de Tijuana y su región traen aparejadas necesidades que ocasionan fuertes impactos en la calidad de los recursos. Tijuana ha crecido a la vera del río que lleva su nombre, y ahora incide en el Alamar, en donde los diversos impactos han deteriorado sus condiciones ambientales. Como señalan algunas fuentes, entre las que destaca el Plan Estatal de Desarrollo de Baja California 2008-2013 (GBC, 2008: 90-92), cuatro aspectos principales ponen al Alamar en riesgo permanente:

1) La deficiente regulación de la actividad económica, que es incentivo para que algunos representantes del sector productivo dañen el ambiente y la salud de la población.

2) La generación de residuos sólidos e industriales –peligrosos y no peligrosos–, junto con un manejo inadecuado, carencia de infra-

estructura para el confinamiento, y la permisibilidad que exhiben las autoridades; factores todos que promueven la existencia de depositarios clandestinos que propician focos de infección, proliferación de fauna nociva y daños al cauce.

3) El rezago en el aprovisionamiento de drenaje público, que es pretexto para generar descargas clandestinas provenientes de industrias, comercios, servicios y zonas habitacionales, las que se vierten sin control en diversas áreas y provocan infiltraciones al subsuelo y contaminación del manto freático.

4) El aprovechamiento de materiales pétreos, que deteriora las condiciones geomorfológicas al ampliar regularmente el lecho hacia zonas colindantes y desmonta la vegetación riparia.

El deterioro ya ha afectado algunas partes del cauce y el corredor, pero el daño no queda circunscrito a esa área pues, como el mismo Plan Estatal señala, el Alamar en su conjunto cumple funciones que lo trascienden. Así sucede que el ecosistema ripario, vital para el mantenimiento del equilibrio en el proceso de recarga de agua al manto freático y, a su vez, para regular la velocidad de las corrientes temporales (GBC, 2008: 92) se halla amenazado. El riesgo de avenidas cada vez más agresivas en las partes bajas de la cuenca tiende al incremento (Michel, 2001: 35-36) y, si a ello se adiciona la posibilidad de continuar la canalización del cauce –como han manifestado algunos funcionarios (*El Mexicano*, 2008b)–, el riesgo se magnifica. Respecto a esto último, la observación que hace Graizbord (2002: 22) ilustra el nexo del estado del ambiente con la circunstancia sociopolítica:

> los canales de concreto usualmente se proponen para proteger las áreas urbanas de las inundaciones y, en México, para eliminar grandes asentamientos ilegales de los planos de inundación de los ríos.

El estado sociopolítico

El marco jurídico que rige la convivencia, permanencia y desarrollo de los diferentes sectores sociales, políticos y económicos, así como la existencia y viabilidad de los recursos, en un área tan específica como el Alamar, es vasto y de índole multinivel. La Carta Magna y un número de leyes federales secundarias y reglamentos (planeación, asentamientos humanos, equilibrio ecológico y protección al ambiente, orgánica de la administración pública, aguas nacionales), ordenamientos como la Constitución Política de Baja California y sus leyes estatales (desarrollo urbano, protección al ambiente), la legislación municipal (ley del Plan de Desarrollo Urbano, reglamento de Protección del Medio Ambiente) e instrumentos como el Programa de Desarrollo Urbano del Centro de Población de Tijuana 2002-2025, tienen todos incidencia en las condiciones presentes y futuras de la región, y ya varios autores han descrito los alcances de estos instrumentos (Tijuana-SEDESOL, 2005; Gutiérrez, 2006: 10-13). Sin embargo, parece que el trabajo de los políticos y las burocracias deja mucho que desear. La pretensión de echar a andar iniciativas decididas desde los grupos de poder –sin tomar en cuenta el abanico de aspectos que caracterizan la complejidad del Alamar y, sobre todo, sin tomar en cuenta a la comunidad– únicamente garantiza resultados insatisfactorios que derivan en el conflicto.

Desde hace ya varias administraciones estatales y municipales, el interés por generar una infraestructura que soporte proyectos de urbanización y comercialización del corredor del Alamar ha sido motivo de discusión (GBC, 2002; ADT, 2005; Cortés, 2006). No obstante, la existencia de actitudes reprobables de algunas autoridades –como la prepotencia y las promesas a los ciudadanos de proveerles de beneficios que de antemano se saben irrealizables, a cambio de la mansedumbre exacerba la desconfianza que ya de antaño inspiran los gobernantes. Con la finalidad de contar con áreas libres de asentamientos irregulares que permitan la transformación del corredor, se ha prometido a los pobladores del Alamar la provisión de terrenos, pies de casa, o incluso dinero en efectivo, a cambio de aceptar pacíficamente su desalojo del sitio (Villegas, 2007; *El Mexicano*, 2007, 2008c). Pero las promesas han sido, hasta el momento, meros actos discursivos.

Pese a la falta de seriedad en el cumplimiento de los compromisos, los proyectos de generación de infraestructura en el Alamar ya se han echado a andar, y tienen como "etapa inicial" las partes del cauce "en donde no vive gente" (*Frontera*, 2008: 16). Al parecer, la expectativa es que la sola inercia del desarrollo de infraestructura sea suficiente para motivar a los pobladores del Alamar a desalojar el sitio. Ante ese panorama, cualquier posibilidad de mejora al estado de cosas es francamente difícil.

La existencia de asentamientos irregulares en el corredor es una fuente real de conflicto. El sector de ciudadanos que se halla en esta incierta posición ha sido en gran parte tolerado por las autoridades del momento, sea por negligencia o a la luz de objetivos de clientelismo político (Ibarra, 2006; Martínez, 2006), pero está claro que, para las sucesivas administraciones, el olvido y el manejo de los "favores mutuos" son cada vez más difíciles de controlar. Las organizaciones de colonos, cuyos líderes obtienen ventajas del asunto, son resultado de la desatención gubernamental de los fenómenos inherentes al crecimiento económico de la región, así como de la falta de previsión al fenómeno de inmigración que resulta por la falta de incentivos laborales en otras regiones del país (Acosta, 2005; Martínez, 2006).

La solución al actual conflicto sociopolítico en el Alamar no admite mayor dilación. Si es efectiva la advertencia gubernamental de que "ahora sí" el proyecto de desarrollo del Alamar "va" (Ibarra, 2008; *El Mexicano*, 2008a), no hay alternativa a que la solución al problema de los asentamientos irregulares en el corredor sea definitiva, pero sobre todo pacífica, si se prefiere una política de conciliación frente a una de confrontación. Al parecer, los colonos que habitan en sitios irregulares han concedido –aunque con escepticismo– en la vía de la negociación; resta saber si la otra parte, la autoridad, asume su compromiso y responsabilidad (*El Mexicano*, 2008d, 2008e). No obsta decir en este punto que las actitudes encontradas, lo mismo que la complacencia y la intolerancia, deben dar paso a la conciliación y los objetivos de altas miras, como lo es el desarrollo integral de Tijuana.

La variable bilateral

Según el BC-PED 2008-2013, la mayor parte del área de servicio del sistema de alcantarillado de Tijuana es poco eficiente, pues se ubica dentro de la cuenca del río Tijuana, mismo que atraviesa la ciudad y se interna hacia Estados Unidos para finalmente desembocar en aguas costeras de San Diego (GBC, 2008: 98). La contaminación que se produce en el otro lado ha recibido una atención de "final del tubo", con la construcción de una planta "binacional" de tratamiento de aguas. Otras problemáticas suceden en el lado contrario y ponen en riesgo al vecino del sur. Lo más reciente es el fenómeno del virus del Nilo, que apareció en San Diego y pudo haber infligido un serio daño a la salud de la población de Tijuana de no haberse tomado las medidas necesarias (Arellano, 2008), y de donde se deduce que tampoco puede obviarse la sensible vecindad internacional, que de antaño ha sido causa de conflictos. Pero es claro que, en el ámbito de la relación bilateral, poco se ha trabajado para reducir el desentendimiento de los aspectos que le causan tropiezos, que en esencia giran en torno a la condición de asimetría entre ambos países.

Las autoridades parecen estar poco interesadas en impulsar una agenda bilateral que incluya un programa de desarrollo integral del corredor del Alamar, que contemple la cooperación para 1) efectuar medidas de revisión y control estrictos de establecimientos industriales ubicados en Tijuana (prevendrían posibles aportes de materiales peligrosos al cauce); 2) generar una infraestructura de vialidades, sistemas de drenaje, y tecnología para el tratamiento de residuos (mejoraría el sistema de soporte de cara a una tendencia de crecimiento anárquico de la ciudad); 3) realizar y poner en marcha programas de desarrollo social y educación ambiental (disminuirían fenómenos y prácticas que merman la calidad de vida y la salud, y deterioran los recursos naturales); y 4) promover cambios en la gestión pública que coadyuven a una mejor gobernación de la ciudad y su región (evitarían el conflicto, doméstico y bilateral). La mejora a las condiciones del corredor y a su gobernabilidad no puede seguir pendiente; el discurso debe concretarse en acciones.

Conciliación para la gobernabilidad

Al declarar la unicidad e indivisibilidad del territorio nacional, el texto constitucional no da pauta para dudar sobre la igualdad de derechos y obligaciones entre los mexicanos. Es frugal al indicar la supremacía del interés público sobre el particular en materia de recursos naturales, con lo que guía el ordenamiento y uso del territorio nacional. En esa línea, las cuencas hidrográficas, como casos especiales del manejo territorial, son zonas que requieren ser preservadas y restauradas, asegurando con ello el equilibrio y la continuidad de los procesos naturales, la preservación y el aprovechamiento sustentable de la biodiversidad, y la protección de pueblos y culturas. No obstante, bajo los estándares actuales, las excepciones a la norma parecen ser regla, pues en su administración y manejo se percibe que la autoridad responsable falla a los objetivos primordiales del interés público, el beneficio social, el desarrollo comunitario integral y el cuidado de los recursos naturales. Más bien, las cuencas hidrográficas parecen significarse como áreas de explotación, exclusión y conflicto.

Estudios realizados sobre el corredor del Alamar dan cuenta de los impactos y su trascendencia en el sistema natural, así como de las fuentes directas e indirectas que los promueven (Tijuana-SEDESOL, 2005; Ponce, 2001; Michel, 2001). Sin embargo, dichos estudios invitan a pensar que, por su propia naturaleza, el corredor es susceptible de restauración y tránsito de sistema natural-antrópico deteriorado a uno tendiente a la sustentabilidad; apuntan incluso las medidas que han de tomarse para mejorar el cauce y su entorno y lograr su embellecimiento (Ponce *et al.*, 2004).

Falta abordar el conjunto de variables sociopolíticas de la problemática y los impactos que las mismas producen en el Alamar. Las deficiencias en el trabajo político-burocrático y el soslayo de la calidad de vida –en aspectos de planeación, coordinación de acciones, aplicación de la normatividad, seguridad en el aparato de salud, seguridad pública y estatus jurídico de los asentamientos– conforman un listado de retos a la gobernabilidad del sistema que demanda la atención de los analistas. En efecto, los informes recabados evidencian que esa faceta de la problemática en el corredor ha recibido un tratamiento insatisfactorio, por lo que poco se ha avanzado en hallar opciones para conciliar intereses entre los actores políticos que se confrontan en el lugar. Se ha dejado pendiente, por tanto, la cristalización de los propósitos mayores del crecimiento, la convivencia armónica y la sustentabilidad social y ambiental. Profundizar en el conocimiento de esas variables sociopolíticas permitiría estar en posición de revertir la condición negativa del actual estado de cosas y transitar hacia la sustentabilidad del sistema. Esta posibilidad sería convalidada por el robusto sustrato de conocimiento técnico-científico, que ya de antiguo señala las pautas para la mejoría del cauce y su entorno.

El Alamar representa la confrontación de intereses y posturas aparentemente incompatibles entre actores que se ubican en extremos opuestos de la mesa y pretenden lograr sus objetivos de hacerse del pastel sin ceder una sola rebanada a la contraparte. Por un lado, se hallan los intereses gubernamentales y privados que pretenden imponer, al costo que sea, sus propuestas de beneficio económico, cubiertas con indumentarias de "desarrollo urbano integral". Ellos cuentan con todos los elementos a favor para justificarse en la legalidad, el provecho general, el crecimiento económico, y la seguridad y protección ambiental. Por otro lado, se encuentran los intereses de grupos sociales de escasos recursos, que en su mayoría desean simplemente contar con una superficie de terreno para habitar, si bien otros (los menos) buscan obtener beneficios gracias a estrategias de clientelismo político. Sea por acciones propias o por presión oficiosa y mediática, este sector se percibe negativamente en el imaginario, cubierto de ilegalidad, inseguridad social, riesgo y deterioro ambiental, y hasta utilidad personal de algunos líderes.

Los actores ubicados en cualquiera de esas posturas juzgan que sus iniciativas son afectadas por quienes se hallan en la posición contraria. Se trata de un fenómeno que revela una política de conciliación inoperante o de plano inexistente. Pero aun en este escenario, en el Alamar han de existir los elementos para lograr una mejor condición y, con ello, hacer viable la gobernabilidad. Ante la complejidad de la problemática y la más que comprobada imposibilidad de que los intereses de un sector se impongan absolutamente a los del otro, las posiciones de algunos actores han mostrado proclividad a la mesura; esta chispa de reflexión, por mínima que sea, significa un tesoro para construir una política de conciliación.

Partiendo del supuesto que los interesados están de acuerdo en la necesidad de resolver conflictos y mejorar la calidad de vida, el paso siguiente es explorar las alternativas que generen un acuerdo amplio. En concordancia con el planteamiento de la hechura de las políticas bajo la racionalidad del esquema "paso a paso" de Lindblom y Woodhouse, para el arribo a una política de la conciliación se sugiere un esquema de cinco etapas (modificado de Parsons, 1995: 77): 1) definición del asunto o problema; 2) diálogo para la identificación y evaluación de respuestas y soluciones alternativas; 3) acuerdo en la selección de opciones de política; 4) instrumentación de acciones coordinadas; y 5) evaluación.

Se adicionan aquí algunas recomendaciones que fortalecen una estrategia de conciliación. Para el gobierno y actores con poder económico está claro que es insostenible la intransigencia respecto a iniciativas que no sean las propias. Deben reconocer que es necesario establecer mecanismos efectivos de diálogo y así crear las condiciones para ganar la confianza de la población en sus proyectos; deben evaluar de manera imparcial propuestas alternas a las que impulsan y disminuir el peso que asignan a los expertos que les asesoran. En las condiciones actuales, de fuerte interacción global –en donde los ciudadanos tienen la posibilidad de conocer otros escenarios sociopolíticos y así reconocerse como entidades con derechos y responsabilidades–, es inviable que los gobernantes sigan tratando a los gobernados como menores de edad.

Para las organizaciones de colonos y ciudadanos que habitan o interactúan con el Alamar, está también claro que la estrategia debe cambiar. Conscientes de su escasa influencia, deben explorar mecanismos para ser tomados en cuenta en las decisiones gubernamentales, diversos a la oposición a ultranza a proyectos que aparentemente contemplan objetivos de desarrollo y beneficio social. Deben procurarse la mayor información posible relacionada con el tema antes de manifestar un rechazo absoluto, e incorporar a sus organizaciones a profesionales de diversas disciplinas que se configuren como pares en las discusiones con los representantes gubernamentales. En la misma tesitura, deben idear la construcción de un ambiente de comprensión hacia sus condiciones de vida y de las necesidades de la ciudadanía en general, en contraposición a las prácticas de expresión tumultuosa frente a las oficinas públicas, que con frecuencia demuestran su esterilidad y causan animadversión.

Ante el permanente reto de la vecindad internacional, el caso del Alamar seguirá siendo motivo de atención. La parte mexicana requiere instrumentar mecanismos de gestión que, al tiempo que coadyuven a ese objetivo, reditúen en beneficios locales. Sirve mencionar aquí al BC-PED 2008-2013 que, en su sección 3.4.4 titulada "Administración institucional y financiamiento", establece que la planeación para el desarrollo obliga a la formación de cuadros organizativos que maximicen los recursos financieros; para ello, indica que deben articularse mecanismos eficaces de cooperación en los diferentes órdenes de gobierno y, en su caso, en el nivel binacional. Para tal fin, la receta es la formulación de esquemas de participación con un enfoque de transversalidad (GBC, 2008: 104-105). Sin duda, esta sugerencia apunta hacia una vía correcta aunque insuficiente. La coordinación entre los órdenes de gobierno obliga a promover prácticas cooperativas, cierto, pero en esta iniciativa es imprescindible incluir a los actores no gubernamentales, que son quienes al final del día resultan beneficiados o perjudicados por las acciones del gobierno. La corresponsabilidad gobierno-sociedad es un activo que debe acrecentarse y, en ese sentido, el propósito de la transversalidad adquiere gran importancia, pues encamina hacia un equilibrio en la influencia (y responsabilidad) de los actores políticos.

Conclusiones

La definición de los problemas y los cursos de acción se hallan al inicio de la hechura de las políticas y señalan su derrotero. El tratamiento de lo público, que es inicialmente político, debe traducirse en términos racionales para que las decisiones puedan llevarse a la práctica. Aquí se ha aseverado que la omnipresente subjetividad surge frecuentemente por la calidad de los datos con que se cuenta, que por un lado son interpretados de manera varia por los distintos actores, y por otro se hallan al celoso resguardo de la autoridad competente. Ambas son situaciones conocidas en países como México, en donde la cultura de la transparencia y del libre acceso a la información oficial, característica de regímenes democráticos, es incipiente.

En países en desarrollo, las propuestas de gobernación superior al estilo de la gobernanza, es decir, en escenarios que garanticen una relación gobierno-gobernado más equilibrada, parecen utópicas. En la frontera norte de México, el reto es mayúsculo pues a la par que la región está sujeta a las bondades y perjuicios del pacto federal, la condición internacional hace más compleja la vivencia sociopolítica e impone un gran desafío, ya no a la gobernación sino a la misma gobernabilidad de la región. Ante un panorama tan polarizado y complejo, en donde la posibilidad de conflicto en la cuestión pública está siempre presente, es pertinente responder a los asuntos mediante una estrategia que resulte atractiva para la mayoría de los actores políticos y que sea realizable en los hechos. La propuesta de una política de conciliación adquiere relevancia.

El Alamar ha sido afectado por prácticas inadecuadas. El impacto se percibe de inmediato al contemplar un cauce deteriorado y contaminado y un corredor "absorbido" por la ciudad y su entorno. En el ánimo de su restauración, el Alamar debe quedar libre de extracciones o adiciones, es decir, no debe someterse a explotación alguna de sus recursos naturales. La restauración debe proceder paralelamente a la habilitación o propuesta de usos con responsabilidad, en aspectos como 1) acción gubernamental, para la supervisión y el control; 2) ecología, para recarga del acuífero y fomento a la protección y conservación de flora y fauna riparia; 3) desarrollo social, que promueva la convivencia y mejora a la calidad de vida de la ciudadanía; 4) acción empresarial, que incremente la plusvalía del área circundante al corredor, lo mismo que la generalidad de actividades productivas de la ciudad con visión de sustentabilidad; y 5) atención al contexto bilateral, que aun en la condición de asimetría coadyuva a prevenir el conflicto mediante la presentación de problemáticas como intereses compartidos. El sistema natural-antrópico que ahora se conforma en el Alamar debe modificar su simbolización de deterioro por uno de equilibrio estable y sustentable, que contribuya a la mejora de las condiciones de vida de la ciudad y su región.

El escenario que plantean condiciones sociopolíticas en donde la marginación y el desarrollo conviven mano con mano, como es el caso de Tijuana, compele al gobierno a cambiar de actitud y dar cabida a un espectro de actores quienes, como partícipes en la cosa pública, también han de asumir responsabilidades de las decisiones tomadas. Así, nuevos actores han de interactuar con grupos de élite, quienes ya de añeja data han mantenido un lugar importante en la escena política. Este intercambio, sin duda, es un desafío trascendental sobre el cual no parece haber ruta que garantice resultados satisfactorios, pero se trata, en esencia, de una iniciativa de buena política.

La problemática en torno al Alamar conjuga procesos que son mezcla de la dinámica económica y poblacional de Tijuana y de presiones externas impuestas tanto por las políticas federales como por la influencia que observa la colindancia con Estados Unidos. El inicio del siglo XXI encuentra a la región inmersa en la irregularidad y la ilegalidad, la debilidad de la planeación del crecimiento, el soslayo a la calidad de vida y hacia los recursos naturales que la sostienen, la falta de coordinación en el interior de los sectores de poder y entre éstos y los grupos sociales, así como el desentendimiento de la condición transfronteriza. Se conforma de esta manera un portafolio de asuntos de diverso origen y difícil solución, que constituyen retos mayúsculos para la gobernabilidad de la región, pero que no pueden continuar más como "pendientes".

Bibliografía

ACOSTA, Ignacio. "Justicia social en el Alamar" en *Ciudad Tijuana*, 27 de septiembre de 2005, en http://ciudadtijuana.info. Consultado: 27 febrero 2008.

ARELLANO, Lorena. "Vigila sector salud que virus del Nilo no llegue a BC" en *FRONTERA*, 13 de marzo de 2008, en http://www.frontera.info. Consultado: 13 marzo 2008.

AYUNTAMIENTO DE TIJUANA (ADT). *Primer informe de gobierno, 2004-2007*, Tijuana, ADT, 2005, en http://www.frontera.info/luly/PrimerInformeHankRhon.doc. Consultado: 27 febrero 2008.

———. *Firma alcalde Jorge Ramos acuerdo para la agilización de los cruces fronterizos*, Tijuana, ADT, en http://www.tijuana.gob.mx. Consultado: 4 marzo 2008.

——— y SEDESOL. *Programa parcial de conservación y mejoramiento urbano para la zona del arroyo Alamar: Primera etapa*, Tijuana, ADT/SEDESOL, 2005.

BADENOCH, Nathan. *Transboundary Environmental Governance: Principles and Practice in Mainland Southeast Asia*, Washington DC, World Resources Institute, 2002.

DANZINGER, James. *Understanding the Political World*, Nueva York/Londres, Longman, 1994.

DÍAZ B., Alejandro. "Tijuana's Dynamic Unemployment and Output Growth" en *Frontera Norte*, Vol. XV, N° 29, Tijuana, El Colegio de la Frontera Norte, enero-junio de 2003, pp. 125-150.

CORTÉS, José Luis. "Confirman proyecto urbano en el Alamar" en *El Mexicano*, Tijuana, 7 de febrero de 2006, en http://bit.ly/133gHwI. Consultado: 8 julio 2008.

EL MEXICANO. "Avanza el proyecto urbano del Alamar" en *El Mexicano*, Tijuana, 25 de abril de 2007, en http://bit.ly/15kJhYT. Consultado: 8 julio 2008.

———. "Deben colonos del arroyo Alamar ser desalojados: Osuna" en *El Mexicano*, Tijuana, 27 de marzo, 2008a, en http://bit.ly/10Pl2L4. Consultado: 8 julio 2008.

———. "Canalizarán el Alamar en 2 años" en *El Mexicano*, Tijuana, 4 de julio, 2008b, en http://bit.ly/13EgGSN. Consultado: 4 de julio de 2008.

———. "Aplazan reubicación de las familias del Alamar" en *El Mexicano*, Tijuana, 10 de agosto, 2008c, en http://bit.ly/18a6boD. Consultado: 19 agosto 2008.

————. "Demandan reubicación las familias del arroyo Alamar" en *El Mexicano,* Tijuana, 14 de agosto, 2008d, en http://bit.ly/12uGJEP. Consultado: 19 agosto 2008.

————. "Antorchistas harán hoy otro 'plantón'" en *El Mexicano,* Tijuana, 19 de agosto, 2008e, en http://bit.ly/12kAW5N. Consultado: 19 agosto 2008.

FRONTERA. "Inicia el 2 de julio obra en el Alamar" en *FRONTERA*, Tijuana, 29 de mayo de 2008, p. 16.

GOBIERNO DE BAJA CALIFORNIA (GBC). *Primer informe de gobierno: desarrollo urbano sustentable*, Mexicali, GBC, 1° de octubre de 2002, en http://bit.ly/12HGYNN. Consultado: 4 julio 2008.

————. *Plan estatal de desarrollo 2008-2013, Gobierno de Baja California*, 15 de mayo de 2008, en http://bit.ly/12kAXqv. Consultado: 14 julio 2008.

GRAIZBORD, Carlos. "The Alamar River Project: An Urban Development Strategy for Baja California" en Suzanne Michel y Carlos Graizbord. *Urban Rivers in Tecate and Tijuana: Strategies for Sustainable Cities,* San Diego, San Diego State University, 2002, pp. 21-26.

GUTIÉRREZ, Arizbé. *Análisis de vulnerabilidad a la contaminación del acuífero del arroyo Alamar y actitud social hacia su protección*, tesis de maestría, Tijuana, El Colegio de la Frontera Norte/CICESE, 2006.

HAZEN, Susan. "Environmental Democracy" en *Our Planet 8.6*, 1997, en http://bit.ly/18cn31u. Consultado: 13 mayo 2003.

HEYWOOD, Andrew. *Key Concepts in Politics,* Basingstoke/Nueva York, MacMillan/St. Martin's Press, 2000.

IBARRA, J. Israel. "Temen desalojo en el Alamar" en *El Mexicano*, Tijuana, 13 de enero de 2006, en http://bit.ly/18a6jV1. Consultado: 8 julio 2008.

————. "Deben desalojar el arroyo Alamar" en *El Mexicano*, Tijuana, 26 de marzo de 2008, en http://bit.ly/15zsCDm. Consultado: 8 julio 2008.

INGRAM, Helen; Lenard MILICH y Robert VARADY. "Managing Transboundary Resources: Lessons from Ambos Nogales" en *ENVIRONMENT*, Vol. XXXVI, N° 4, Philadelphia, Taylor and Francis, 1994, pp. 6-38.

JASANOFF, Sheila. "The Dilemma of Environmental Democracy" en *Issues in Science and Technology,* Vol. XIII, N° 1, United States National Academy of Sciences/ National Academy of Engineering/Institute of Medicine/University of Texas at Dallas, 1996, pp. 63-70.

LINDBLOM, Charles y Edward WOODHOUSE. *The Policy-making Process,* Englewood Cliffs, Prentice Hall, 1993.

MARTÍNEZ, Roberto. "Electorero, proyecto del Alamar" en *El Mexicano*, Tijuana, 20 de febrero de 2006, en http://bit.ly/13EgWBr. Consultado: 8 julio 2008.

MICHEL, Suzanne (ed). *The Alamar River Corridor: An Urban River Park Oasis in Tijuana, Baja California, Mexico: Borderlink 2000 Final Report*, San Diego, San Diego State University, 2001.

OLAVARRÍA GAMBI, Mauricio. *Conceptos básicos en el análisis de políticas públicas*, Santiago de Chile, Universidad de Chile, 2007.

PARSONS, Wayne. *Public Policy*, Cheltenham, Edward Elgar, 1995.

PATTEN, Chris. "Governance" en *Reith Lectures 2000 BBC Radio4*, 12 de abril de 2000, en http://news.bbc.co.uk/hi/english/static/events/reith_2000/lecture1.stm. Consultado: 4 julio 2008.

PONCE, Víctor Miguel. *Hidrología de avenidas del arroyo binacional Cottonwood-Alamar, California y Baja California*, San Diego, San Diego State University, 2001, en http://alamar.sdsu.edu/alamar/alamar.html. Consultado: 27 febrero 2008.

———— ; Ana Elena ESPINOZA; Piietro MAGDALENO; Alberto CASTRO y Ricardo CELIS. *Sustainable Architecture of Arroyo Alamar, Tijuana, BC, Mexico*, San Diego, San Diego State University, 2004, en http://bit.ly/sKUb2V. Consultado: 4 marzo 2008.

SALINAS, Daniel. "Firman convenio por cruces fronterizos" en *FRONTERA*, 4 de marzo de 2008, en http://www.frontera.info. Consultado: 4 marzo 2008.

VILLEGAS, Manuel. "Descarta Ayuntamiento ofrecer terrenos a 'antorchistas'" en *FRONTERA*, 24 de octubre de 2007, en http://www.frontera.info. Consultado: 8 julio 2008.

Gestión ambiental local.
Los esfuerzos por rehabilitar el arroyo Alamar
en Tijuana, Baja California

Carolina Trejo Alba*
José Luis Castro Ruiz**

Ambiente. Correl: jlcastro@colef.mx.

En este artículo se presentan los resultados de una investigación sobre los esfuerzos por intervenir el espacio urbano del arroyo Alamar en la ciudad de Tijuana, y el papel de la gestión ambiental local como factor determinante para materializar acciones urbanas y ambientales en la zona y consolidar un proyecto factible de rehabilitación. Los objetivos principales son dos: a) caracterizar la gestión del proyecto de reha-bilitación del arroyo Alamar desde la perspectiva sociopolítica de la gestión ambiental y urbana enmarcado en la teoría del buen gobierno (Borja y Castells 1997: 150-151; Brito, 2002: 262; Sagredo y Maxi-miliano, 2003: 9-11), y b) realizar una descripción de los proyectos y alternativas de encauzamiento propuestas desde 1990 por los diferen-tes órdenes de gobierno. Para el primer objetivo se caracterizan tres elementos de análisis: la participación de los ciudadanos y la sociedad organizada (gestión incluyente); la coordinación entre los tres órde-nes de gobierno y los diferentes sectores que inciden en el proyecto (gestión coordinada); y la labor del organismo local de planeación, el Instituto Municipal de Planeación (IMPLAN), principal promotor y desarrollador del proyecto (gestión descentralizada).

La investigación se desarrolla en un enfoque metodológico mixto cualitativo/cuantitativo, resuelto con la técnica de análisis de conteni-do revisado en Krippendorff (1990: 28) aplicado a un periódico local,

---

* Universidad Autónoma de Baja California campus Tijuana, Centro de Ingeniería y Tecnología (CITEC) Valle de las Palmas. Correl: carotrejo24@gmail.com.

** El Colegio de la Frontera Norte, Departamento de Estudios Urbanos y Medio

así como la realización de entrevistas semiestructuradas a agentes públicos y privados y expertos relacionados con el objeto de estudio.

La primera parte del documento revisa la definición y acepciones del concepto medio ambiente urbano y el significado de río urbano en México; la segunda parte hace una descripción de la cuenca del arroyo Alamar y ubica indicadores de alteración ecohidrológica; en tercer lugar se presenta una síntesis diagnóstico de las condiciones ambientales del arroyo en su recorrido urbano; en cuarto sitio aparece la revisión de la pertinencia legal y corresponsabilidad institucional en el área de estudio; el quinto apartado define las atribuciones específicas del gobierno local en las tareas de intervención urbana y ambiental; le sigue la descripción de las alternativas de encauzamiento y rehabilitación del arroyo; el séptimo apartado versa sobre la gestión urbana y ambiental en la esfera local; en el octavo se enuncia el apartado metodológico, diseño y aplicación de los instrumentos; por último, en el noveno punto, se discuten los resultados de la medición de los parámetros de la gestión incluyente, coordinada y descentralizada de la gestión de la rehabilitación del arroyo Alamar exponiendo las virtudes y carencias del proceso; además, la revisión de la opinión de los entrevistados, alertando de los problemas de gestión y definiendo soluciones para potenciarla desde la esfera local.

Medio ambiente urbano

El territorio es base de los asentamientos humanos y componente de los sistemas ambientales, está sujeto a presiones y competencia en donde las exigencias mayores están dadas por la parte no natural. Sus habitantes son parte de dinámicos y voraces sistemas de producción situados en conglomerados que, después de cierto tamaño, adoptan la condición urbana. En el escenario ideal, los usos de suelo "natural" y "transformado" deberían de interrelacionarse consintiendo el mantenimiento de sus funciones y un beneficio recíproco; no obstante, la mayoría de las veces esta relación es asimétrica en favor del segundo.

A esta superposición de ambientes que conforman un espacio único se le denomina medio ambiente urbano. Este concepto puede tener diferentes interpretaciones dependiendo del contexto y el marco teórico de los que se desprenda. El Programa de las Naciones Unidas para el Desarrollo (Yunén, 1995, citado en Isch, 1996) adopta en uno de sus documentos la definición de *medio ambiente urbano* como el resultado de varios procesos de interacción entre tres subsistemas: humano o social, natural y construido. Lo *humano* está conformado

Figura 1
Elementos y subsistemas del medio ambiente urbano

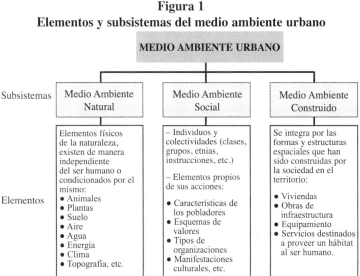

Fuente: Elaboración propia con base en Isch (1996: 63).

por los individuos, sus niveles de organización, redes, y las obligadas formas de interrelación; lo *natural*, o el territorio, se compone de elementos físicos naturales; lo *construido* son las estructuras del espacio, originadas a partir de los procesos sociales (Figura 1).

El estado del medio ambiente urbano
en las ciudades latinoamericanas

De acuerdo a un análisis realizado por Dávila (1998), el presente estado de deterioro ambiental en las urbes latinoamericanas tiene su inicio en la movilidad migratoria iniciada alrededor de 1940, fenómeno en donde una creciente población rural dejó las actividades primarias para migrar a la zonas urbanas en pleno proceso de industrialización. Ese crecimiento rápido fue acompañado con servicios, infraestructura y comodidades que los gobiernos urbanos ofrecieron a las nuevas poblaciones. A la postre, las décadas de crecimiento poblacional, expansión económica y nula distribución de los ingresos significaron el aumento de los problemas ambientales urbanos, auspiciados también por un desinterés de las autoridades por combatir la contaminación. Dávila enfatiza la disparidad en el ingreso como un factor determinante para entender el estado del ambiente urbano. En esos contrastes, también se remarca cómo las ciudades latinoamericanas son fuente de contaminación y congestión, y a su vez generadoras de riqueza y empleos.

El estatus de los arroyos y ríos urbanos en México

En México, la contaminación de las corrientes de agua y las llanuras de inundación de los ríos y arroyos urbanos es común, la mayoría termina convirtiéndose en los drenajes de las ciudades e incluso son canalizados o entubados para cumplir con esta función. No se tiene una estadística de las condiciones ambientales de estos afluentes, pero se estima en promedio nacional que solamente 30% de las aguas colectadas por los sistemas de alcantarillados municipales son tratadas antes de ser vertidas a cuerpos de agua (SEMARNAT, 2006: 74) Al margen de esto, están las descargas clandestinas y las correspondientes a las zonas sin cobertura del servicio. El depósito clandestino de desechos también es un elemento común en estos sitios debido a la falta de vigilancia y abandono de los cauces de los ríos, y a la ausencia de sitios destinados a la disposición de desechos sólidos y escombro, por mencionar algunos.

Las corrientes de agua que atraviesan una zona urbana son un límite físico, un problema. Los instrumentos locales de planeación urbana por lo regular no conciben estrategias integrales para conservar y aprovechar las condiciones naturales de estos espacios, aunque como se verá más adelante, esto también está muy asociado a los problemas de jurisdicción de los tres niveles de gobierno. Esta desatención promueve la pérdida de espacios abiertos naturales y sus servicios ambientales, empobreciendo el paisaje urbano al ser constituido éste únicamente por elementos artificiales.

Cabe decir que no existe una política nacional enfocada a la rehabilitación y recuperación de los afluentes de agua urbanos, no obstante se tienen ejemplos de intervenciones en diferentes ciudades del país con el objetivo de rehabilitar cuerpos de agua y constituir parques para fines recreativos y deportivos. García y Ángel (2003) reportan el rescate del río Mayo en Navojoa, Sonora, un río con poca corriente de agua afectado por problemas de contaminación derivados de la acumulación de distintos residuos. García y López (2003) exponen el caso del parque ecoturístico Tiacaque en Jocotitlán, Estado de México, en donde el gobierno local instrumentó una política para rescatar el espacio urbano. Espinoza *et al.* (2004) documentan el caso del río Santa Catarina y La Silla en Monterrey, Nuevo León. Ponce *et al.* (2004) se refieren al río Atoyac en Oaxaca. En el Distrito Federal se tienen avances en la elaboración de planes maestros de rehabilitación de ríos, como el Magdalena y el Eslava, en donde instituciones académicas –como la Universidad Nacional Autónoma de México y Autónoma Metropolitana– participan junto con las autoridades (Quintero, 2008).

La cuenca del Alamar e indicadores de alteración ecohidrológica

Como se advierte en todo el país, el arroyo Alamar es un claro ejemplo de deterioro causado por la invasión de la mancha urbana. La ciudad de Tijuana está asentada sobre una parte de los territorios de la sub-cuenca del arroyo Alamar, la cual mantiene desde la mitad del siglo pasado una de las mayores tasas de crecimiento urbano y demográfico, por arriba de la media nacional (Garza, 2003: 44-45). Vale la comparación de Tijuana con su ciudad hermana San Diego, en California, que entre 1990 y 2000 la ciudad mexicana creció a una tasa anual de 5.4% –es decir, duplicó su población en tan sólo 13 años–, al contrario, San Diego presentó una tasa anual de 1.2%, lo que se resume en que su población se duplicará en 58 años (Ganster, 2010). La consecuencia ha sido una subutilización del suelo y la presencia de fenómenos de deterioro ambiental que afectan a la salud pública y el propio ecosistema, principalmente del lado mexicano.

El arroyo Alamar es una corriente que conforma una subcuenca del río Tijuana, la cual es compartida por México y Estados Unidos. Esta corriente de agua fluye en el interior de la ciudad de Tijuana, en la parte noreste en la llamada meseta de la Mesa de Otay. El recorrido en el interior de la zona urbana tiene una longitud aproximada de 10 km; al final desemboca sus aguas al canal de concreto del río Tijuana, el cual desemboca al Océano Pacífico en Estados Unidos, en el condado de San Diego.

La cuenca hidrológica es un sistema ambiental complejo. La *cuenca* se define como un área de tierra en donde el agua, sedimentos y materia disuelta se descargan sobre un cuerpo de agua, llámese lago, río u océano (SDSU, 2005). Las cuencas, divididas por parteaguas (partes más altas), incluyen áreas de captación pluvial, red de drenaje de aguas superficiales, cuencas subterráneas, elementos bióticos y, en forma integral, a las comunidades humanas.

Cotler ha establecido indicadores para las cuencas hidrográficas que permiten estimar el nivel de alteración de su dinámica funcional (Cotler *et al.*, 2010). El primer indicador es el índice de transformación humana que se traduce en cambios en la conectividad, capacidad de infiltración, pérdida de la biodiversidad y el hábitat; en segundo,

Foto 1
El arroyo Alamar

Fuente: Archivo propio, 2006.

la degradación del suelo, es decir, la alteración del estado y las funciones de los suelos, promoviendo la generación de sedimentos y contaminación del cuerpo de agua; en tercero, la fragmentación de ríos –segmentación, interrupción y desviación del caudal de los ríos– y deterioro de zonas riparias –flora y fauna-; como cuarto indicador, la presión hídrica relacionada con la proporción del volumen de agua extraída versus el agua disponible; por último, la contaminación potencial difusa, resumida en la contaminación de suelos y cuerpos de agua. De acuerdo con estos parámetros, la cuenca del río Tijuana tiene un grado de alteración ecohidrológico alto con un nivel de presión medio.

Consecuentemente, la subcuenca del Alamar es un excelente caso de una superposición de espacios –natural y artificial–, huésped de un entorno urbano que se transforma drástica y paulatinamente, resultando en la alteración, limitación o eliminación de las funciones ambientales de la cuenca, tal como se relata en el siguiente punto.

Diagnóstico de las condiciones del arroyo urbano Alamar

La zona está físicamente delimitada por las vialidades primarias bulevar Manuel J. Clouthier –o Gato Bronco– y bulevar Terán Terán, con lo que se diferencian tres grandes zonas. Las primeras dos zonas son las más impactadas, aquí se alberga una extensa mancha de asentamientos irregulares y, en su momento, fue el tiradero más grande de desechos de la ciudad. La tercera zona hacia el este de la ciudad es la menos afectada por la mancha urbana, incluso conserva grandes parches de vegetación riparia.

Uno de los recursos más significativos del *medio físico natural* de la cuenca binacional es el agua subterránea. El acuífero depende directamente de los lechos del río Tijuana y sus arroyos tributarios, Alamar y Las Palmas, principalmente. El flujo de corrientes de la cuenca es intermitente, con niveles máximos en el periodo invernal de lluvia. Una gran extensión de la cuenca tiene el nivel de precipitación anual mínimo, que va de casi 0 hasta 200 milímetros (SDSU, 2005). Grandes llanuras de inundación permanecen secas la mayor parte del año.

Sobre el *medio físico construido*, el aspecto social y urbano está dominado por un largo historial de asentamientos irregulares; se presume que 57% de las viviendas ocupadas de la ciudad tiene un origen irregular (Alegría y Ordóñez, 2005: 17). Las familias que habitan la zona del Alamar en esta irregularidad no cuentan con los servicios básicos. Por ejemplo, el servicio de energía eléctrica es suministrado en forma ilegal a través de "diablitos", una modalidad que consiste en conectarse directamente al cableado de los postes de luz de las colonias adyacentes. Sobre el cauce y las márgenes del arroyo se identifican también usos de suelo no urbanos –agrícola y ganadero–, contraponiéndose a lo dictado en el plan de desarrollo urbano, en donde se clasifica como suelo no apto para el desarrollo urbano. Asimismo, el Alamar, como varias zonas en Tijuana, está clasificado por las autoridades de protección civil como un lugar susceptible a inundación debido al flujo de lodos y avenidas rápidas, situación por la que en el temporal de lluvias es necesario aplicar acciones de desalojo temporal de las familias asentadas en las zonas de alto riesgo.

La zona es una de las pocas reservas territoriales de las que dispone Tijuana, cuenta con áreas que aún mantienen vegetación y están poco consolidadas en términos urbanos, contando con la posibilidad de convertirse en áreas verdes para la ciudad. El Programa de Desarrollo Urbano de Centro de Población Tijuana 2002-2025 menciona que la ciudad cuenta con 1.08 m²/hab de área verde, cifra que está muy por debajo de la norma de las Naciones Unidas de 8 a 10 m²/hab (IMPLAN, 2002: 196).

Legalmente, el cauce del arroyo es de propiedad federal, aunque en la actualidad el municipio tiene un convenio en donde se le han cedido los derechos para la custodia del mismo. Sin embargo, la zona federal del arroyo no está demarcada en su totalidad y su delimitación física se confina a ciertas zonas.

El sitio presenta problemas de contaminación de agua y suelo agudos que tienen varias causales. El rezago de la cobertura de drenaje, las descargas de los asentamientos irregulares y el vertimiento de descargas clandestinas de algunas industrias y comercios son las causas principales de la contaminación del arroyo, así como un factor de riesgo para el acuífero que depende de éste. La infraestructura de captación pluvial de la zona es deficiente y en muchas partes inexistente, por lo que es inevitable el arrastre de desechos al cauce del arroyo.

Asimismo, la disposición ilegal y clandestina de escombro, residuos domésticos, industriales y de tipo biológico-infeccioso, han convertido el cauce en uno de los basureros más grandes de la ciudad, causando también problemas de salud pública en las inmediaciones del arroyo. La disposición de los desechos en la zona tiene la complicidad de algunos vecinos –que reciben un pago por permitir tal actividad– y la coparticipación de las autoridades, quienes han sido sorprendidas depositando escombro en la zona (Ruiz, 2002). En 2004 y 2005 tuvo su etapa más aguda, cuando algunas de las pilas de desechos semienterradas se incendiaron y provocaron la emanación de gases y humos en la zona, generando un problema de salud pública en los pobladores de la zona y colonias colindantes.

Tijuana enfrenta el reto de recuperar la zona del arroyo Alamar y no solamente solucionar los problemas que la aquejan, sino consolidar un proyecto con enfoque ecológico que beneficie a la comunidad, rehabilite la zona de recarga del acuífero y mejore las condiciones de la cuenca binacional. Todos los problemas ambientales de la zona tienen un impacto mayor en la parte baja de la cuenca localizada en el condado de San Diego, California. Una intervención urbana de esta magnitud puede significar un efecto detonante positivo en la economía local.

Pertinencia legal y corresponsabilidad de intervención

Un proyecto de rehabilitación hídrica en un contexto urbano resulta en un traslape de las funciones y obligaciones del organismo federal administrador del agua y las de planeación urbana local. Sumando los problemas de contaminación, salud pública, irregularidad de la tierra y riesgo urbano, se convierte en una zona de intervención multisectorial y de corresponsabilidad.

De acuerdo con el artículo 27 de la Constitución mexicana, los cauces de los ríos y arroyos son propiedad de la nación. Coloquialmente a este terreno suele llamársele "zona federal" y su jurisdicción recae sobre el gobierno federal, ejercido a través de la Comisión Nacional del Agua. La Ley de Aguas Nacionales (DOF, 1992), en el artículo 3 fracción XLVII, define la zona federal como

las fajas de diez metros de anchura contiguas al cauce de las corrientes o al vaso de los depósitos de propiedad nacional, medidas horizontalmente a partir del nivel de aguas máximas ordinarias. (...) El nivel de aguas máximas ordinarias se calculará a partir de la creciente máxima ordinaria que será determinada por "la Comisión" o por el Organismo de Cuenca que corresponda (...). En los ríos, estas fajas se delimitarán a partir de cien metros río arriba, contados desde la desembocadura de éstos en el mar.

La administración de los recursos hídricos es exclusivamente del orden federal, sin embargo, cuando las corrientes de agua están inmersas o atraviesan zonas urbanas están sujetas a las regulaciones de suelo urbano, compartidas por el nivel estatal y municipal. La Ley General de Asentamientos Humanos (DOF, 1993) emite las disposiciones generales en materia urbanística. Ordena y regula los asentamientos humanos en los tres niveles de gobierno, a través de normas básicas encaminadas a fortalecer cuatro actividades principales: fundación, conservación, mejoramiento y crecimiento de los centros de población; además de asegurar la participación social en materia de asentamientos. El artículo 9 fracción I indica la responsabilidad que tienen los municipios de "formular, aprobar y administrar los planes o programas municipales de desarrollo urbano, de centros de población y los demás que de éstos deriven, así como evaluar y vigilar su cumplimiento, de conformidad con la legislación local". El mismo artículo, en la fracción VII, habilita al municipio para celebrar convenios, acuerdos de coordinación y concertación con la federación, la entidad federativa respectiva, otros municipios y particulares para concretar los objetivos de los planes y programas locales.

La Ley General del Equilibrio Ecológico y la Protección al Ambiente (DOF, 1998) también norma la planeación del territorio. En el artículo 23 de la sección cuarta, en el apartado denominado "Regulación ambiental de los asentamientos humanos", menciona los criterios ambientales de la planeación urbana. Resaltan las fracciones I, III y IX en donde se decreta la obligatoriedad de considerar el contenido de los programas de ordenamiento del territorio para elaborar los planes y programas de desarrollo urbano, se indica que las áreas destinadas para el crecimiento de la ciudad no deberán afectar áreas con alto valor ambiental, y se determina el compromiso de la política ecológica de remediar los desequilibrios que deterioran la calidad de vida de la población.

El cauce del arroyo Alamar está clasificado como zona de riesgo, no apta para el desarrollo urbano, aunque con ello sólo se ha promovido el desuso y deterioro más que las acciones de conservación. La idea del gobierno local de rehabilitar el lugar ha llevado a las autoridades a firmar convenios que definen nuevas obligaciones para esta zona federal. En la actualidad, el municipio tiene la facultad de administrar, custodiar, conservar y dar mantenimiento a la zona federal y al cauce del arroyo Alamar, que conforme a la Ley son actividades de competencia federal. La cesión fue otorgada a través de un convenio entre el ejecutivo federal, a través de la Secretaría del Medio Ambiente y Recursos Naturales por conducto de la Comisión Nacional del Agua y el municipio de Tijuana. El acuerdo se hizo oficial en febrero de 2004, y cabe decir que no existe una demarcación total oficial de la zona federal del arroyo. Existe una demarcación parcial publicada el 2 de diciembre de 1993 en el Diario Oficial de la Federación y en el Periódico Oficial del Estado de Baja California el 17 de diciembre de 1993.

El acuerdo entre el gobierno federal y el municipio de Tijuana denota el interés del gobierno municipal de Tijuana por intervenir en la zona, no obstante, la cesión no considera un presupuesto para las acciones de mantenimiento previstas, por lo que el municipio debe asumir tales costos. Otra desventaja es la indefinición del polígono de la zona federal, siendo imposible definir el límite de las propiedades privadas y determinar en algunos casos su estatus de "irregularidad".

Gobierno local, intervención urbana y ambiental

Mantener la *habitabilidad* de los territorios –la capacidad de mantener la calidad de vida de sus habitantes y satisfacer sus necesidades materiales y no materiales– requiere de avances en áreas como accesibilidad a servicios públicos básicos, dotación de vivienda avalada por derechos de propiedad de la tierra, construcción de un espacio público sano y seguro, gestión de desechos, abatimiento de la pobreza y precariedad, control de la contaminación –aire, agua, suelo, etcétera–, prevención en el área de vulnerabilidad y desastres, y creación de políticas públicas referentes a seguridad, gobernabilidad, participación y gestión (Jordán, 2005).

En la búsqueda por lograr esa *habitabilidad*, los gobiernos locales se han convertido en un agente clave de intervención. La municipalidad o gobierno local, como último escalafón de la estructura del Estado y la primera ventana de acceso al ciudadano, puede percatarse de las realidades y diferencias de la población.

La obligación de afrontar los problemas originados por el fenómeno de urbanización y la degradación del medio ambiente urbano es ineludible. Sin embargo, aun cuando los límites de la competencia local se están ampliando, las mayores facultades siguen recayendo en el nivel estatal o federal. Las autoridades locales todavía son entes incapaces de responder a todas las nuevas demandas. Ahora bien, las funciones ambientales del gobierno local no sólo se refieren a la aplicación de la normativa ambiental; la zonificación y el destino del uso del suelo que emanan de los mecanismos de planeación y regulación urbana también son elementos que se consideran como significativos en los intentos por proteger al medio ambiente urbano. Como lo declara Duhau (2000: 182-183), estos instrumentos son los elementos de soporte que configuran la política urbana, la cual permite proyectar, promover e inducir ciertas características en una ciudad en lo que respecta a espacio público y bienes públicos.

Los avances en materia urbana y ambiental son disímiles, por lo que es arriesgado emitir una opinión generalizada sobre la buena o mala actuación de los gobiernos locales, al menos para México, en donde existen amplias disparidades entre los municipios. En nuestro de caso de estudio, la ciudad de Tijuana y el estado de Baja California se encuentran entre los más prósperos de la frontera norte y del país, por lo que los resultados deben juzgarse con este criterio.

Las alternativas de encauzamiento y rehabilitación del arroyo Alamar

El referente obligado en la ciudad es el canal de concreto del río Tijuana. Durante la administración de Luis Echeverría Álvarez (1970-1976) se construyó la primera etapa de encauzamiento a base de concreto en respuesta a los recurrentes desbordamientos. El proyecto incluyó el encauzamiento y el rescate de terrenos para su urbanización a fin de recuperar la inversión. Una extendida temporada de sequía provocó que la corriente de agua se secara en forma temporal. El cauce fue ocupado por asentamientos marginados, sitio al que se hacía mención como *Cartolandia*, un caserío de viviendas hacinadas y en precarias condiciones. El incidente más fuerte se presentó el 29 de enero de 1980, cuando tuvo que desfogarse la presa Abelardo L. Rodríguez por los altos niveles del agua y que provocó la inundación del cauce del río Tijuana. Hubo algunos avisos de desalojo sin que fueran lo suficientemente efectivos, y el evento resultó en un desastre con grandes pérdidas humanas y materiales (Valenzuela, 1991).

La primera propuesta de canalización

La política federal de la Comisión Nacional del Agua dictaba encauzar el arroyo con un canal de concreto. En 1998, el organismo entregó a la Secretaría de Asentamientos Humanos y Obras Públicas del Estado

(SAHOPE) el proyecto ejecutivo (Guevara, 2005). A nivel local, se tenía el antecedente de un primer intento de canalización durante la administración de Héctor G. Osuna (1992-1995) presentado por una compañía denominada *La Nacional*. Un estudio de factibilidad técnica y financiera reveló que los precios de la tierra disponible no permitían pagar una canalización como la del río Tijuana, y el proyecto fracasó (entrevista a Rubén García Fons, en Trejo, 2006).

En esta década de 1990, el Alamar empezó a significarse como un problema y es incorporado a los instrumentos de planeación. Así lo manifiesta el Plan Estratégico Tijuana 1995, en donde se señalaban las áreas problemáticas de la ciudad en los temas de medio ambiente, equipamiento urbano, servicios públicos, etcétera, y se formulaban propuestas a largo plazo para la ciudad. El Alamar se definió como un espacio susceptible al problema de la contaminación causado por los asentamientos irregulares. Además, el Plan de Desarrollo Urbano de Centro de Población de Tijuana 1995 describió la zona del Alamar en forma detallada en términos del medio físico natural, puntualizó los problemas de contaminación y deterioro ambiental e identificó el problema como un asunto de carácter binacional.

La propuesta de encauzamiento con enfoque ecohidrológico

Durante la administración municipal de Francisco Vega de Lamadrid (1998-2001) se creó el Instituto Municipal de Planeación (IMPLAN) –pionero a nivel nacional–, organismo público descentralizado de la administración pública municipal con amplias facultades en materia de desarrollo urbano. Sus atribuciones van desde la elaboración e instrumentación de planes, programas y normas, hasta la restauración del equilibrio ecológico y la protección al ambiente de los centros de población. Su primer director, Carlos Graizbord –con raíces en el sector académico e influido por los proyectos de rehabilitación de los ríos y arroyos urbanos en el estado de California en Estados Unidos–, presentó un nuevo discurso para rehabilitar el arroyo Alamar: el enfoque *ecohidrológico*. Graizbord (2002: 27) lo definió como el hecho de

> rehabilitar el canal principal del río que está lleno de sedimentos, y restaurar la flora y fauna endémicas. Para proteger contra las inundaciones se utilizan gaviones, diques y pequeñas presas que dejan el lecho del río en su estado natural o rehabilitado. De esta manera, se retiene el río como área de recarga acuífera y un corredor ecológico que mantiene su riqueza natural de flora y fauna y conecta al área urbanizada con sus alrededores

naturales. Al mismo tiempo, el entorno del río formaría un amplio parque lineal para la comunidad.

A la postre, el Alamar se convertiría en el proyecto emblemático del IMPLAN. El Instituto, asesorado por el Instituto Mexicano de Tecnología del Agua (IMTA), empezó a desarrollar el proyecto, estudios de uso de suelo compatibles y un análisis financiero. El costo del proyecto resultó 40% menos costoso que la canalización de concreto (Graizbord, 2002: 30), este último favorecido por urbanistas y fabricantes de concreto, detenidos en su accionar por la insuficiencia de fondos y la poca disponibilidad de los terrenos a urbanizar, considerando el precio vigente del mercado de suelo.

Por su parte, en Estados Unidos ya se tenía toda una discusión en contra del *armoring*, concepto tradicional de canalización a base de concreto en donde se impermeabiliza el lecho y no se permite la filtración del agua al subsuelo ni la manutención de sistemas riparios. En 1977, la publicación del *Clean Water Act* inició una política nacional de control de contaminantes y desechos tóxicos en las corrientes de agua, que entonces llevó la discusión de la canalización a la propuesta de la rehabilitación de ríos urbanos con criterios ecológicos, manteniendo sus características naturales e integrándolos a la mancha urbana como corredores ecológicos. Los canales urbanos construidos en décadas anteriores estaban en el abandono, constituidos como límites artificiales en la estructura urbana, depósitos de desechos y escenarios de actos de vandalismo y violencia. Las nuevas estrategias de rehabilitación consideran incluso la demolición de las estructuras de concreto y la intervención en zonas aledañas, aunque signifique costosos presupuestos.

La continuación del proyecto de rehabilitación ecohidrológica e intervenciones a la zona

Para 2002, el Alamar era un problema crítico para las autoridades, reconocido como el basurero más grande de la ciudad (Ruiz, 2002). Durante la administración municipal de Jesús González Reyes (2001-2004) se formuló un programa de reubicación de familias asentadas en zonas de alto riesgo, incluyendo al arroyo Alamar, con la participación de los tres niveles de gobierno. Aun con las protestas e inconformidades de vecinos, la Secretaría de Desarrollo Social del gobierno estatal inició en 2004 el desalojo de familias a fraccionamientos ubicados en la periferia urbana. En ese mismo año, el municipio de Tijuana y la

Comisión Nacional del Agua firmaron un convenio para ceder la custodia de la zona federal al gobierno local.

Para el proyecto de rehabilitación, el IMPLAN realizó algunos estudios en colaboración con San Diego State University (SDSU), universidad que mantiene publicaciones en internet accesibles al público con información referente al arroyo Alamar. Por otro lado, la Agencia de Protección Ambiental de los Estados Unidos (EPA) participó con financiamiento para la elaboración de estudios y proyectos en la zona del arroyo (Espinoza, 2005). Los avances fueron pocos y se dieron en medio de un contexto político complicado para el IMPLAN. En 2003 los regidores municipales solicitaron la revisión de cuentas de las doce oficinas paramunicipales de Tijuana, alegando resultados poco concretos en sus tareas y nula generación de ingresos para el municipio (Álvarez, 2003).

La participación de actores no gubernamentales con los organismos locales es también palpable. En la actualización del Plan Estratégico Tijuana 2003-2025 participó la municipalidad de Tijuana y el Consejo de Desarrollo Económico de Tijuana (CDT) En el Plan, el arroyo Alamar se cataloga dentro de los 14 proyectos emblemáticos para reactivar la economía y mejorar la calidad de vida en la ciudad, y propone tres metas básicas: 1) convertir la zona en una importante área verde, 2) revitalizar la zona y destinarse como reserva territorial, y 3) albergar una vialidad primaria que permita enlazar dos subcentros urbanos de la ciudad. En octubre de 2004 se realizó el primer Foro de Desarrollo Urbano organizado por la Cámara Mexicana de la Industria de la Construcción (CMIC), la discusión en torno al tema ubicó el desarrollo del arroyo Alamar como un proyecto prioritario.

Proyecto de programa parcial de desarrollo de la zona del Alamar

Después de varios periodos consecutivos de gobierno panista, la administración del XVIII Ayuntamiento fue presidida por el priista Jorge Hank Rhon, quien desde su campaña se comprometió a darle continuidad al proyecto del Alamar (Ruiz, 2004). El mismo Plan de Desarrollo Municipal 2005-2007 mantiene el concepto ecohidrológico cuando se refiere al Alamar. A poco más de un semestre de iniciada la administración, el director de la oficina de Desarrollo Urbano Municipal presentó oficialmente el proyecto de rehabilitación ecohidrológica y se cuantificó su costo en 500 millones de pesos (Salinas, 2005), es decir, casi la quinta parte del presupuesto anual de ingresos de la ciudad de Tijuana (Ayuntamiento de Tijuana, 2005). La acción consecuente fue la aprobación del Cabildo de la moratoria de por un año para la recepción de solicitudes de autorización de usos de suelo y de licencias de construcción en los predios localizados en el polígono del arroyo Alamar, instrumento promovido por el IMPLAN con el fin de facilitar los trabajos correspondientes al Programa Parcial de Desarrollo Urbano para la zona del arroyo Alamar.

Un evento imprevisto para las autoridades sucedió al inicio de 2005, cuando se abrieron canales y grietas en las calles y patios de las casas en el fraccionamiento San Bernardo a causa de las lluvias y algunas familias fueron reubicadas. Representantes de la Secretaría de Desarrollo Social del Estado acudieron para inspeccionar el daño, se identificaron viviendas con cimientos descubiertos y evidentemente se reactivaron las protestas de los vecinos (Ortiz, 2005).

En 2004, la CMIC delegación Tijuana organizó el segundo Foro de Desarrollo Urbano, Infraestructura y Competitividad (CMIC, 2005), en donde la directora del IMPLAN, Ana Elena Espinoza; el investigador de la UABC Jorge Augusto Arredondo y el consultor independiente Manuel Guevara presentaron información del proyecto de desarrollo del Alamar. El asunto fue catalogado como un viejo problema urbano que debe ser atendido. En el evento se otorgó un reconocimiento al IMPLAN por su labor y se concluyó que su materialización depende por mucho de la voluntad política de los tres niveles de gobierno y del fortalecimiento de la participación ciudadana, siendo un obstáculo de segundo grado el problema del financiamiento (CMIC, 2005). En el evento se presentó un estudio de factibilidad económica con un superávit de ingresos de tres millones de pesos, lo que debe tomarse con reserva pues no se considera el problema de la irregularidad en la tenencia de la tierra y la contaminación de la zona.

Concluida la XVIII administración municipal no se publicó el programa parcial de la zona. Del proyecto sólo se conoce lo informado al inicio del periodo, sigue pareciendo un proyecto ajeno a los ciudadanos, con acciones poco claras sobre el problema de contaminación y asentamientos irregulares, y sin determinar las formas de financiamiento.

El futuro del proyecto, regreso a la canalización

En diciembre de 2007 inició la administración del panista Jorge Ramos (2007-2010), sin que existiera un pronunciamiento sobre la rehabilitación del arroyo Alamar. En marzo de 2008, el alcalde anunció que aproximadamente 400 familias que viven en el arroyo serían reubicadas debido a la construcción de un bulevar y el encauzamiento del arroyo, y se tiene un convenio de obra con un monto de 400 millones de pesos (Salinas, 2008). Posteriormente, el titular del organismo estatal ejecutor de la obra informó del inicio de la construcción de una vialidad de doble circulación de 1.5 kilómetros, incluyendo un canal de encauzamiento. Esta primera etapa se encuentra fuera del perímetro de las zonas habitadas (Villegas, 2008). Asimismo, se publicó en el Periódico Oficial de 23 de mayo de 2008 un acuerdo de cabildo en donde se suspende la expedición de autorizaciones, opiniones, dictámenes y permisos de índole ambiental y urbana por un periodo de 12 meses, tiempo previsto para concluir el proyecto de la obra de canalización y bulevar Arroyo Alamar.

En 2009, la Comisión Nacional del Agua presenta el documento técnico *Programa detallado de acciones para el proyecto emblemático: Protección a los Centros de Población e Infraestructura Aledaños al Arroyo Alamar*, que formaba parte del Programa Nacional Hídrico 2007-2012. En éste se hace un diagnóstico socioambiental en donde se promueve la canalización del arroyo como una obra de protección, respaldando el compromiso social de realizar inversiones públicas que permitan elevar los satisfactores de vida de la población (CONAGUA, 2009).

Así, cada administración ha tratado de aterrizar el proyecto sin éxito, aunque con ciertos avances en la parte técnica. Por su parte, el gobierno federal ha tenido incursiones pero han sido aisladas, consiguiendo que el proyecto siga siendo "muy local", lo cual resulta contraproducente para el mismo considerando su magnitud.

Gestión urbana y ambiental en la esfera local

El proyecto de rehabilitación del arroyo Alamar ha tenido varios inconvenientes para consolidarse y posicionarse en la agenda local y aún más para escalar a los niveles subsecuentes. En este proceso han incidido varios factores de índole social, política y económica. Por ejemplo, la falta de financiamiento es un elemento constante pero que no se lee como el principal causal de su no materialización. Un estudio sobre la gestión del proyecto (Trejo, 2006) analizó aspectos torales de la *gestión ambiental* para determinar los logros y fracasos más significativos según su evolución.

Sin embargo, ¿qué se entiende por gestión? Con origen en la administración, el concepto de *gestión* se define en forma sencilla como "el conjunto de actividades y responsabilidades que conforman la inter-

Figura 2
Las características de la gestión incluyente
coordinada y descentralizada

GESTIÓN AMBIENTAL DEL ARROYO ALAMAR

Participación: ciudadanos y sociedad civil organizada	Diferentes ordenes de gobierno	Desde la perspectiva institucional
INCLUYENTE	**COORDINADA**	**DESCENTRALIZADA**
• Compromiso • Transparencia • Legitimidad • Diagnóstico • Análisis • Jerarquización del problema	• Concurrencia • Visión conjunta • Acuerdos • Ampliar margen de maniobra	• Ciudadanización • Continuidad • Autonomía • Profesionalismo • Experiencia • Concentrar información • Corregir desigualdades • Canal interlocución

Fuente: Trejo (2006).

vención social para *manejar* una realidad o solucionar un problema" (Isch, 1996: 73). Enfocado al gobierno, Arzaluz (2002: 75) equipara a la *gestión* con la *conducción* de los instrumentos disponibles para enfrentar problemas o demandas, en este caso, de los ciudadanos. La *gestión de la ciudad* o *urbana*, según palabras de Duhau (2000: 183), es un conjunto de procesos mediante los cuales las instancias de gobierno definen e instrumentan las regulaciones y formas de intervención pública sobre la ciudad: organización, apropiación y usufructo del espacio urbano, regulando también la oferta de bienes y servicios. La *gestión ambiental de la ciudad* debe entenderse como una forma de gestión urbana, cuya tarea es la de realizar una serie de intervenciones sociales –diagnóstico de problemas, estudios de factibilidad para las acciones planteadas, puesta en práctica, seguimiento, evaluación y hechura de ajustes– para utilizar el espacio, los recursos naturales y humanos, y las condiciones del área urbana y su zona de influencia (Isch, 1996: 73-74).

La *gestión ambiental* no es rígida sencillamente porque los lugares, los contextos y las sociedades son diferentes, pero depende de la conjugación de varios elementos como *negociación, descentralización, co-gestión, coordinación* y *participación* para lograr su verdadera práctica (Figura 2). Es un error pensar que las actividades dirigidas a recuperar o conservar el estado del medio ambiente urbano son tareas aisladas o simplemente necesarias.

En este caso de estudio, el primer aspecto medido es el de la participación institucionalizada o la *gestión incluyente*. Si bien es cierto que los gobernantes tienen la responsabilidad de tomar las decisiones acerca de los proyectos y acciones públicas prioritarias, hoy los ciudadanos exigen ser tomados en cuenta, piden el debate y la negociación de sus críticas, demandas y propuestas (Borja, 1998, citado en Brito, 2002: 266). Se olvida en la práctica que la ciudadanía es quien experimenta todo lo que se decide y realiza en los temas de desarrollo urbano y ambiental de la ciudad. Aún persisten los patrones rígidos del gobierno controlador que se resiste a convertirse en un agente regulador y negociador y a permitir una planeación "desde abajo".

Pero, ¿cuál es el valor de la participación ciudadana? Sagredo y Maximiliano (2003: 21) dan una respuesta muy acertada al respecto, al describir la práctica de la participación ciudadana como una herramienta que le permite al gobierno local y a la ciudadanía en general consolidar a largo plazo la gestión, principalmente sobre tres vertientes: la del compromiso, la transparencia y la legitimidad. Reconocen también que la participación permite la elaboración de diagnósticos cualitativos, análisis precisos y la jerarquización de los problemas.

La *gestión incluyente* abarca también compartir y difundir la información generada en las instituciones gubernamentales entre los distintos sectores de la sociedad, esto es, poner a disposición de la ciudadanía la información pertinente para que se forme un juicio verdadero. En este caso, por la magnitud del proyecto de recuperación del arroyo Alamar se entiende que habrá un número importante de afectados, con los que habrá que negociar y construir canales de interlocución para lograr la factibilidad del proyecto. Los ciudadanos y los agentes privados organizados también son actores que deben tener acceso al conocimiento de los lineamientos del proyecto y la posibilidad de tomar parte en su ejecución para dar certidumbre y legitimidad al mismo.

El segundo factor de análisis se refiere a la *gestión coordinada*. Situaciones como la existencia de asentamientos irregulares vulnerables ante las precipitaciones pluviales y otros eventos meteorológicos similares, zonas de alta contaminación industrial, la existencia de fallas geológicas o ríos que obligan a las autoridades a su cuidado y vigilancia por ser zonas de riesgo ambiental y urbano, etcétera, son escenarios que determinan y guían la concurrencia de las distintas instancias del gobierno (Isch, 1996: 76).

Las posibilidades de llevar adelante proyectos exitosos de desarrollo en el ámbito local dependen en gran medida del avance en las negociaciones gubernamentales y de la construcción de alianzas entre los agentes públicos, es favorable incluso cuando los acuerdos logran movilizar recursos y garantizar las condiciones financieras, políticas y sociales esenciales para la implantación exitosa del proyecto (Brito, 2002: 263). No debe desatenderse la cuestión de que los trastornos en la coordinación gubernamental están influidos por el factor político, las distintas prioridades de las agendas y la afiliación partidista de los gobernantes en funciones.

Para el Alamar, los acontecimientos y problemas que tienen lugar en la zona exigen la atención de los tres órdenes de gobierno, la intervención de uno u otro por separado resulta inútil. La jurisdicción compartida de la zona es por ende el primer punto de convergencia. Por otro lado, es una realidad que un solo orden de gobierno no es capaz de resolver las dificultades propias de la zona, tan sólo en el aspecto de recursos económicos, por lo que es imprescindible una participación tripartita para concretarlo.

Por último, se tiene el aspecto de la *descentralización*. El enfoque de la investigación apunta hacia la descentralización *administrativa-funcional* en el nivel local, un espacio en donde están apareciendo nuevas instituciones directoras del desarrollo urbano-ambiental con mayor libertad de acción, derechos y obligaciones e independientes de la administración local, y como consecuencia, impulsoras y promotoras de las directrices de trabajo a largo plazo. En este caso de estudio nos referimos al instituto de planeación local, el IMPLAN.

¿Cuál es la relevancia de la descentralización en la gestión de la urbanización? Borja (2001: 46-47) inscribe dos razones principales. En primer lugar, la posibilidad de definir claramente ámbitos territoriales para aplicar proyectos urbanos, y segundo, la descentralización ayuda a promover políticas urbanas destinadas a corregir desequilibrios y desigualdades en el territorio, en donde se favorece el uso de instrumentos de participación ciudadana. Por otro lado, la descentralización puede presentarse en forma "falsa", es posible encontrar entes descentralizados incapacitados para tomar decisiones y negociar, sin estructuras administrativas capaces de tender canales de interlocución (Borja, 2001: 45).

Los institutos de planeación descentralizados de la administración municipal plantean en teoría un modelo de planeación distinto, más autónomo, más cerca de los ciudadanos con una visión a largo plazo. El IMPLAN, el organismo promotor y desarrollador del proyecto de rehabilitación ecológica del Alamar, ha sido esencial en el mantenimiento del enfoque ecológico y se ha constituido como un espacio de concentración de información.

Apartado metodológico

El presente estudio de caso se trabajó bajo un enfoque mixto cualitativo/cuantitativo. Se eligieron dos técnicas de recolección de información: análisis de contenido y entrevista semiestructurada. La fase cualitativa consideró la percepción abierta de los agentes involucrados en la gestión ambiental de la ciudad a través de la aplicación de entrevistas semiestructuradas y significó recabar las opiniones publicadas en un periódico local. El aspecto cuantitativo implicó medir la ausencia/presencia en prensa de los tópicos de gestión ambiental, delimitados a partir del marco teórico y abordados con el análisis de contenido.

El análisis de contenido, selección de las categorías de análisis

Según Krippendorff (1990: 28) el análisis de contenido es "una técnica de investigación destinada a formular, a partir de ciertos datos, inferencias reproducibles y válidas que puedan aplicarse a su contexto". Los mensajes no tienen un significado único, por lo que es posible abordar los datos desde múltiples perspectivas: se pueden hacer conteos de frecuencias de letras, palabras u oraciones, categorizar frases, verificar asociaciones o vínculos entre las unidades de análisis, y formular interpretaciones políticas, sociológicas o psiquiátricas.

Para este tipo de estudios es difícil determinar una muestra, pues se conoce el universo del número de ejemplares de periódicos publicados en un lapso determinado, y se tiene una idea de cómo segmentarlo –en secciones, noticias, artículos de opinión, etcétera–, pero no se sabe en realidad cuántas veces aparecerá la unidad de análisis (Piñuel, 2002: 20). Para este caso, la búsqueda se centró en la frase "arroyo Alamar "y el universo fueron todas las notas periodísticas del periodo elegido que la enuncian. La revisión del periódico local *Frontera* abarcó un periodo de seis años correspondiente a 2000-2005, el primer año coincide con la aparición de la propuesta de rehabilitación ecohidrológica del arroyo Alamar, y el último año con la presentación formal del proyecto por parte de las autoridades de desarrollo urbano.

Se diseñó una hoja de codificación con seis categorías: 1) aspectos generales del documento revisado –nota periodística–, 2) problemas socioeconómicos y ambientales del arroyo Alamar, 3) beneficios socioeconómicos y ambientales del arroyo Alamar, 4) gestión incluyente, 5) gestión coordinada, y 6) gestión descentralizada. Todas las categorías se insertaron en una hoja de codificación o ficha de análisis, una hoja que almacena los datos de cada nota periodística codificada.

Su función se equipara a la de un cuestionario que recaba los datos de cada uno de los entrevistados considerados en una encuesta.

La unidad de análisis empleada en este estudio fueron los artículos que incluyeran "arroyo Alamar" o "Alamar". La búsqueda formal de la unidad arrojó un total de 710 notas, que fueron revisadas una a una. A partir del ejercicio se encontraron 122 notas referidas al arroyo Alamar con al menos uno de los apartados contenidos en las seis categorías.

Se elaboró un manual de codificación para otorgar criterios para refutar datos y efectuar su registro adecuado, así se estableció el eje de la codificación:

- Cada nota periodística se codificó con los parámetros *presencia/ausencia*. El registro de los datos sobre la ficha de análisis u hoja de codificación individual estuvo sometida a los criterios del manual de codificación.

- Después se construyó una matriz con las filas de las 122 fichas resultantes y las columnas de los treinta y nueve apartados de cada una de las seis categorías desarrolladas. El parámetro ausencia fue cambiado a cero y presencia a uno, resultando una matriz final con variables dicotómicas.

- El tratamiento estadístico de la matriz consistió en medir las frecuencias de los apartados en cada categoría. La medida se obtuvo para el periodo de los seis años y por cada periodo anual, con la finalidad de conocer la intensidad con la que se muestra cada punto y hacer las comparaciones pertinentes.

- Para los datos cualitativos se destinó un espacio en la hoja de codificación para inscribir las opiniones y eventos relevantes de la nota revisada.

Diseño de entrevistas semiestructuradas

A la par del análisis de contenido, se aplicaron entrevistas semiestructuradas a actores involucrados en la gestión de la rehabilitación del Alamar. Con esta base cualitativa se cumplió el primer objetivo de la investigación de caracterizar la gestión a partir de la opinión y perspectiva de los entrevistados. Las ventajas de utilizar esta metodología son varias: primero, los entrevistados son los *expertos*, la información que se pueda generar del encuentro ayuda a encontrar los porqués y complementa los datos obtenidos de la revisión documental; segundo, durante la entrevista es posible observar la reacción del entrevistado ante las preguntas y detectar en su respuesta ciertas actitudes o prejuicios; tercero, permite

Gráfica 1
Frecuencia anual de menciones
de las tres categorías relativas
a la gestión

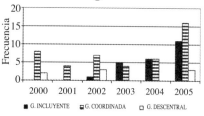

Fuente: Trejo (2006).

el contacto con personas que tienen distinto lenguaje, criterio, etcétera (Garza, 1994: 194).

La selección de entrevistados incluyó a funcionarios del gobierno local, estatal y federal de las áreas de desarrollo urbano y ecología, y directores y presidentes de asociaciones civiles y organismos no gubernamentales de la esfera local. La selección se hizo considerando el cargo, la experiencia y el grado de participación de cada uno de los actores en el proceso de gestión analizado. Además, con el fin de reducir el sesgo debido a la afiliación política, se consideró en lo posible a personas con distinta militancia partidista. En total se realizaron 15 entrevistas.

Se elaboró una guía de entrevista y se definieron cinco apartados:

- *Introducción*, preguntas generales sobre el conocimiento del proyecto de rehabilitación del arroyo Alamar vigente.

- *Gestión incluyente*, sobre el suministro de información de las autoridades hacia los ciudadanos relacionada con la intención de rehabilitar la zona, el ejercicio de la participación ciudadana, y el establecimiento de nexos promovidos por la autoridad para permitir la participación del sector empresarial, las organizaciones civiles, ONG's y el sector académico principalmente.

- *Gestión coordinada*, referente a la coordinación entre las dependencias municipales, al hecho de generar y compartir la información en asuntos concernientes al arroyo Alamar entre las dependencias gubernamentales, y a la coordinación de las instancias locales con las instancias estatales y federales.

- *Gestión descentralizada*, lo relacionado con las atribuciones, actuación y capacidad del IMPLAN para desarrollar un proyecto de la magnitud del arroyo Alamar, bajo un enfoque ecohidrológico.

- *Conclusiones*, preguntas abiertas que permiten englobar la opinión general del entrevistado con respecto a los obstáculos y aspectos positivos que han acompañado la gestión.

Resultados

A partir del análisis de contenido en la prensa local fue posible calificar la gestión desde su categoría *incluyente, coordinada* y *descentralizada.*

Antes de analizar cada una de éstas, se graficaron las frecuencias de presencia de los tres aspectos de la gestión en el

Gráfica 2
Frecuencia de menciones
ítems de la gestión incluyente
2000-2005

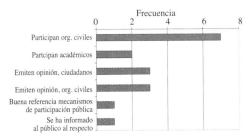

Fuente: Trejo (2006).

periodo completo (Gráfica 1). La gestión coordinada aparece en los seis años consecutivos asociada directamente a los trabajos de apoyo durante los fenómenos hidrometeorológicos y las emergencias ambientales. La gestión descentralizada es poco referida en años y en número de notas. Por su parte, la gestión incluyente manifiesta una tendencia de incremento desde su aparición en el 2002.

La gestión incluyente

En esta categoría se recabaron las notas periodísticas que hacían referencia a la participación de los ciudadanos, la sociedad civil organizada, los académicos y en general a los actores no gubernamentales en eventos relacionados con el arroyo Alamar y el proyecto que tiene como objetivo rehabilitarlo. También se incluyó la búsqueda de referencias sobre mecanismos de participación pública, así como alusiones acerca del cumplimiento de las autoridades en la tarea de informar a la población sobre los proyectos y actividades que tienen como destino el arroyo Alamar (Gráfica 2).

La participación de las organizaciones no gubernamentales está encabezada por el sector empresarial, los organismos colegiados de la rama de la construcción e instituciones académicas. Los actores mencionados integran un grupo que se involucra con las autoridades o está trabajando en proyectos propios. El Plan Estratégico Tijuana 2003-2025 (PET) es una muestra de la colaboración con las autoridades. Del instrumento se desprendió la creación del Consejo de Seguimiento y Evaluación del PET conformado por regidores, representantes de la

Gráfica 3
Frecuencia de menciones
ítems de la gestión coordinada, 2000-2005

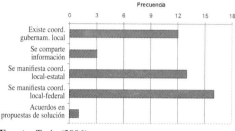

Fuente: Trejo (2006).

CANACINTRA, CANA-CO, COPARMEX y CDT, y por institucio-nes educativas como la UABC, CETYS, UIA y Tecnológico de Tijuana. Se abrieron foros convocados por el sector empresarial para impulsar y pro-mover el proyecto y se hicieron declara-ciones en favor de buscar los recursos necesarios para intervenir en el Alamar.

Asimismo, existen grupos o ciudadanos que hacen pronunciamien-tos acusando a las autoridades de actuar con mala fe en contra de los vecinos en situación irregular. El más representativo en el periodo estudiado es el Movimiento Antorcha Campesina, que pone en duda la colocación de avisos de zona de alto riesgo realizada por las autori-dades, y tiene una abierta protesta en contra de cualquier proyecto de intervención del arroyo Alamar, porque a su juicio no existen garantías para la reubicación de los afectados.

Esta actitud de protesta es fomentada por el desconocimiento. Tan sólo en el periodo analizado de 2000-2005 se encontró una sola nota periodística en donde las autoridades de desarrollo urbano del municipio de Tijuana hicieron la presentación, se hizo una descripción general y la exposición de las acciones que se pretenden hacer para su consecución; sin embargo, no se determinó claramente lo pertinente a los asentamientos irregulares y a los problemas de contaminación.

Las opiniones de los entrevistados referidas a la participación del "ciudadano común" en las consultas públicas mencionan dos preocu-paciones: ¿cómo lograr acercarse a una población que no tiene un conocimiento válido de la dinámica y los problemas de la ciudad por su propia característica migrante? y ¿cuánto puede aportar al proyecto la opinión de aquellos que no están organizados? A primera instancia, se percibe cierta resistencia a ocuparse del fortalecimiento de los mecanismos de participación pública y llevar la negociación estricta-mente conforme lo que la ley disponga, en un marco rígido.

La falta de promoción del proyecto también se refleja en el interior de las instituciones, los propios entrevistados no conocen del todo los perjuicios o beneficios que traerá el actual proyecto, por lo que tampoco pueden asegurar que sea pertinente ejecutar la idea tal como se está planteando. La mayoría reconoce el potencial de la zona y la necesidad de intervenir en el lugar, pero su visión está limitada por la falta de información y la escasa promoción de la propuesta de rehabilitación.

La gestión coordinada

Los apartados correspondientes a este rubro aparecieron con las frecuencias más altas en comparación con el resto de las categorías: 34 notas periodísticas tocaron los temas de la gestión coordinada. Las muestras de coordinación gobierno local-gobierno estatal (13 menciones) y gobierno local-gobierno federal (16 menciones) en temas del arroyo Alamar fueron las más significativas (Gráfica 3).

La posibilidad de pérdidas humanas ante la proximidad de la temporada de lluvias y las emergencias ambientales provenientes de los basureros clandestinos de la zona han sido los detonantes de acciones conjuntas y aparentemente coordinadas por los tres niveles de gobierno. Las manifestaciones de coordinación entre las instancias gubernamentales locales también se dan bajo este mismo contexto. Por otro lado, no se encontraron notas periodísticas que revelaran o dieran indicios de trabajos con el objetivo de rehabilitar el arroyo, tal como se ha previsto en los diversos planes de desarrollo de la esfera local.

En este apartado se revisaron las muestras de coordinación del gobierno local con el resto de los niveles de gobierno en las tareas de reubicar los asentamientos irregulares de la zona del Alamar, tema sensible puesto que en los eventos agudos del periodo de lluvias se llevan a cabo desalojos temporales de las familias asentadas en el cauce y las llanuras de inundación. Las intervenciones de las autoridades se realizan más en función de la proximidad de un evento y no a una programación o planeación originada de la necesidad de resolver el problema en forma permanente.

Según el periodo revisado, en 2000 no se manifestaron lluvias copiosas, las autoridades locales y federales sólo hicieron inspecciones de la zona y tareas de limpieza. En 2001, el gobierno estatal manifestó interés por formar una Comisión para la Investigación y Prevención de las Invasiones, en donde participaran los tres niveles de gobierno. En 2002, el gobierno municipal mantuvo sus trabajos de inspección en la zona, mientras que el gobierno estatal informa de la creación de un programa de desalojo. En 2003 solamente se presenta participación del gobierno local en inspecciones en zonas de riesgo. 2004 es contrariamente el año más representativo, en que los gobiernos local y estatal

Gráfica 4
Frecuencia anual
coordinación de reubicación
de asentamientos irregulares

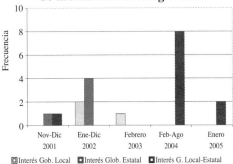

Fuente: Trejo (2006).

Gráfica 5
Frecuencia de menciones
ítems de la gestión descentralizada
2000-2005

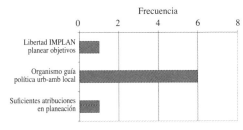

Fuente: Trejo (2006).

trabajaron en forma conjunta en tareas de reubicación de familias. En ese mismo año se cedió la custodia del arroyo al municipio y cambió la administración municipal a un partido distinto al anterior, que fue el que presentó el proyecto ecohidrológico. En esta transición de gobierno se perdió la continuidad de los trabajos, las autoridades entrantes hablaron sobre de la pérdida de información y los proyectos de reubicación no se terminaron, presionados también por las protestas de los vecinos de la zona (Gráfica 4).

Sobre la opinión de la gestión coordinada, solamente la tercera parte de los entrevistados aseguró la existencia de una coordinación entre el gobierno local y las instancias estatales y federales. Esto se corrobora al menos para las oficinas responsables del medio ambiente en los tres niveles de gobierno, y las complicaciones y dificultades aumentan cuando empiezan a intervenir otros sectores, aun en el mismo nivel gubernamental. Se dice que está presente la buena voluntad pero se tienen prioridades distintas. A últimas fechas el factor político ha sido un elemento de conflicto, debido a la diferente afiliación partidista de los gobernantes del estado y el municipio.

Una de las opiniones al respecto hablaba de la urgencia de regular el aspecto de la coordinación, tal como se hizo con el tema de la transparencia. Debería haber un fundamento legal para evitar que los intereses políticos dominen, la coordinación gubernamental no debe dejarse solamente a la buena voluntad de los administradores en turno o depender exclusivamente de la capacidad de liderazgo de un presidente municipal o del gobernador.

La gestión descentralizada

La última categoría se ocupó de la gestión descentralizada, en donde se construyeron tres apartados para este fin. Seis de las 122 notas periodísticas destinaron un espacio para comentar acerca de las facultades y atribuciones del IMPLAN, el organismo encargado de desarrollar el proyecto para la recuperación del arroyo Alamar (Gráfica 5).

Es muy escasa la información referida al IMPLAN, las primeras notas tienen una percepción positiva del mismo, y se da un reconocimiento de las autoridades de San Diego por su labor en materia urbana y por la serie de proyectos que encabeza, entre ellos el desarrollo del Alamar. Sin embargo, al final del periodo analizado (2005), las declaraciones de actores no gubernamentales solicitan mejoras para el IMPLAN, mayor intervención de la ciudadanía y la puesta en práctica de la teórica autonomía del organismo de planeación frente a la administración local, y coinciden en que debe "despolitizarse". El IMPLAN es un organismo descentralizado de la administración local, una figura –en teoría– inmune a los cambios de gobierno local, pero en la que no existe continuidad de los proyectos. Cada "nueva" administración local conduce un "nuevo" proyecto. Esta misma opinión la comparten dos terceras partes de los entrevistados, el organismo se percibe como minimizado en recursos materiales y humanos y subordinado a la autoridad en turno, por lo que difícilmente puede cumplir con la tarea de fungir como la institución rectora de la política urbana y ambiental de la ciudad.

Asimismo, la mayoría de los entrevistados aseguró que el IMPLAN no cuenta con las suficientes atribuciones en la materia. Algunas de las reformas que se proponen son las de otorgar atribuciones al organismo para desarrollar y coordinar los proyectos, y una reestructuración de la Junta de Gobierno que permita la inclusión de la sociedad organizada y el ciudadano común, sin olvidar la propuesta de incrementar el gasto corriente de la institución.

Conclusiones

El contexto del Alamar

El contexto del Alamar está conformado por problemas abrumadores y dificultades. Ambientalmente se le asigna poco valor al lugar, los problemas de invasiones, asentamientos irregulares y contaminación son tan agudos que todas las opiniones se concentran solamente en ese sentido. Valdría la pena preguntarse: ¿cuántos conocen de la relevancia ambiental de la zona y de la función que cumple en el interior de la cuenca? ¿Cuántos saben de la oportunidad que tiene el lugar en convertirse en un pulmón para la ciudad, en un espacio que pueda subsanar el gran déficit de áreas verdes, de recreación y esparcimiento de Tijuana? ¿Quiénes han oído hablar de algún proyecto de rehabilitación del arroyo? Las respuestas inquietan. Si bien es cierto que la lógica va en el sentido de que los conflictos dominan sobre los beneficios, es importante realizar acciones con el objetivo de reducir este vacío de información y buscar que el lugar trascienda a la esfera pública no solamente por sus aspectos negativos.

Como Dávila (1998) lo menciona, se hace válida la ecuación en donde la disparidad del ingreso es causal del deterioro ambiental en la ciudad. Aclárese que esto no se refiere a las condiciones precarias de los asentamientos irregulares y los problemas de contaminación a consecuencias del déficit de servicios públicos de la zona, sino al panorama general de las ciudades del país, en las que una gran parte de la población está preocupada preferentemente por satisfacer necesidades primarias y mantener un modo de vida decoroso. Situándonos en el cauce del Alamar, encontramos un espacio destinado al desuso que grupos marginados de población han ocupado a razón de su situación económica, desconocimiento y de una actitud transigente de las autoridades, y en donde el bajo costo y accesibilidad matiza la idea del riesgo urbano. Asimismo, los problemas de contaminación se derivan de la etiqueta de espacio sin valor, propiedad de todos y de nadie.

El proyecto de rehabilitación con enfoque ecohidrológico

La propuesta de rehabilitación ecohidrológica desarrollada en 2000 ha venido sufriendo modificaciones. El proyecto se ha complementado y modificado con proyectos alternos, como la construcción de vialidades, infraestructura, equipamiento y otros. Se trabaja en diagnósticos diversos de la zona, en la medida en que se tienen los recursos humanos y materiales para hacerlo. Sin embargo, hasta ahora no se ha presentado un proyecto ejecutivo formal, no se tiene demarcada toda la zona federal, no se ha publicado el plan parcial de la zona y se nota la ausencia de una propuesta integral para resolver los conflictos de asentamientos irregulares y contaminación. Asimismo, no ha sido posible concretar un esquema de financiamiento para el mismo.

El proyecto es poco conocido, su limitada difusión refleja por una parte un descuido de las autoridades en las tareas de divulgación –hecho un poco aminorado por la labor de los agentes privados– y por otra manifiesta la carencia de un hábito de las autoridades locales de informar regularmente a los ciudadanos de las tareas que se están desarrollando y de consultar las opciones de proyecto posibles. En la nueva gestión, los gobiernos están obligados no solamente a proporcionar la información a los interesados, sino que deben rendir cuentas y ser transparentes en sus transacciones. Por supuesto que la adopción de estas nuevas prácticas solicita un cambio de visión, en la forma de gobernar, de capacitación para llevar a cabo esa labor y la gestión de recursos monetarios para tal fin. Por su parte, la nula o mala estrategia de difusión puede aumentar la especulación y elevar los costos de los terrenos en donde se hará la intervención, además de confrontar a los ciudadanos afectados. Esto se puede moderar en la medida en que sea posible entablar una política de concertación con los propietarios y los grupos influyentes en el mercado inmobiliario de la zona.

La situación de desconocimiento y poco flujo de información de las autoridades ha fortalecido la oposición de ciertos grupos y organizaciones frente a las acciones del gobierno; perceptible también es el hecho de que éstos buscan sacar ventaja de la condición de pobreza y marginación de los pobladores del Alamar. Estos pobladores desconocen los objetivos reales del proyecto, dudan de la veracidad de la información proveniente de las autoridades e incluso de la declaración de zona de riesgo. Sus protestas se fundamentan también en la mala experiencia de las personas que han sido reubicadas a colonias sin infraestructura básica, transporte y equipamiento; irónicamente algunos de los nuevos terrenos resultan tener cierta condición de riesgo. Probablemente haya una actitud indolente o sólo sea un descuido de las autoridades ejecutoras de los programas de reubicación, quienes deben actuar rápido para evitar la pérdida de vidas humanas en los periodos de lluvias. No obstante, su actuación siembra desconfianza y escepticismo y concede motivos a los detractores para mantener su postura inflexible.

Queda pendiente emprender acciones correctivas y de castigo en contra de los responsables de negociar en forma ilícita terrenos irregulares y de aquellos involucrados en el depósito clandestino de desechos y escombros, lo cual hacen con la complicidad de autoridades y vecinos. De llevarse a cabo, habrá un costo político que no todos están dispuestos a asumir.

El escenario futuro: una gestión con grandes vacíos

Como se ha visto, los intentos de rehabilitar y recuperar el arroyo Alamar tienen casi veinte años. Actualmente, el proyecto vigente busca, además de rehabilitar el espacio, cumplir el objetivo de conservar las funciones ambientales de la zona, aprovechar las condiciones naturales para dotar a la ciudad de áreas verdes y desarrollar una de las reservas territoriales estratégicas de la ciudad. El proyecto mismo y su gestión presentan grandes carencias.

La gestión *incluyente* tiene las mejores credenciales. La sociedad organizada y los organismos en donde intervienen agentes públicos y privados –principalmente del nivel local– encabezan los esfuerzos para lograr convenios en torno al Alamar. No obstante, en este momento el factor político es un adversario que plantea un contexto en el que los llamados de estos grupos tendrán poco eco. No se ha publicado el programa parcial de desarrollo de la zona y, por lo tanto, se mantiene a la expectativa la posibilidad de aplicar mecanismos de participación ciudadana, mucho menos se han abierto a la discusión las opciones de rehabilitación, esfumando así la oportunidad de consolidar un proyecto integral. La *coordinación*, un elemento relevante de la gestión del proyecto Alamar, se vio mermada por la diferente afiliación partidista de los gobiernos local y estatal, lo cual cambió en los periodos de sucesión de 2006. El manejo del proyecto a nivel muy local, casi en los límites del protagonismo, le ha ganado el desinterés de las autoridades estatales y federales. A últimas fechas, los anuncios de rehabilitación del Alamar se refieren a proyectos comunes de infraestructura: la construcción de una vialidad y una canalización tradicional con concreto. Se ha eliminado el término ecohidrológico y con ello las aspiraciones de mantener las funciones ambientales de la cuenca, la revitalización y configuración de una nueva imagen para la ciudad. A falta de una real intervención, los focos rojos en la zona seguirán siendo los catalizadores principales para lograr esa coordinación.

Desde el punto de vista de la gestión ambiental *descentralizada*, se encontró que no solamente tiene que enfrentar los problemas técnicos propios del proyecto: el factor político es un elemento de conflicto. El IMPLAN, promotor y desarrollador del proyecto, ha sido devaluado y mermado financieramente, y cada nueva administración le imprime un sello distinto, no se hace efectivo el principio de autonomía. La continuidad de los proyectos está sujeta a las prioridades del gobierno en turno, que no siempre están en sintonía con las metas a corto y largo plazo previstas en los instrumentos de planeación. El IMPLAN debe asumir el liderazgo y ser un verdadero gestor del proyecto.

Una propuesta para conducir el proyecto y hacerlo viable, de manera transparente y legítima, es la *organización de un proceso de negociación mediada* (adaptado de Sorensen *et al.*, 1992) en donde el CDT, la CMIC o algún otro agente privado pueda convertirse en un agente que ayude a establecer prioridades, coordinar reuniones, hablar con actores específicos para conocer su verdadera posición y lograr fluidez en las negociaciones. El IMPLAN podrá establecerse como un par en las negociaciones y el portavoz oficial del proyecto; las mesas de trabajo deberán buscar la participación de los tres niveles de gobierno y los sectores gubernamentales que tienen alguna responsabilidad. El aspecto binacional puede ser manejado a través de la Comisión Internacional de Límites y Aguas (CILA), que tiene la jurisdicción para tratar asuntos fronterizos, específicamente en problemas relacionados con el agua. En lo que respecta a la coordinación, es conveniente revisar las condiciones del convenio de cesión de la zona federal del arroyo y determinar su modificación o anulación y, en ausencia o presencia de éste, determinar claramente las responsabilidades de los gobiernos municipal y federal y la posible participación del gobierno estatal. En ese mismo rubro, la construcción de una alianza del gobierno local y estatal que apoye la realización del proyecto puede ser un aliciente para lograr el involucramiento directo del gobierno federal, facilitando también la gestión de recursos. Como se ha corroborado, aunque la intervención es necesaria, la agenda federal tiene otras prioridades, situación que se puede redireccionar si se presenta una propuesta concreta y viable. La gestión ambiental en el gobierno local, más allá de estar suscrita a la falta de presupuesto, aduce a la voluntad política y la búsqueda de consensos.

Bibliografía

ALEGRÍA, Tito y Gerardo ORDÓÑEZ. *Legalizando la ciudad. Asentamientos informales y procesos de regularización en Tijuana*, Tijuana, El Colegio de la Frontera Norte, 2005.

ÁLVAREZ, Ernesto. "Gastan 200 millones de pesos al año. Las paramunicipales son barril sin fondo" en *FRONTERA*, Tijuana, 5 de diciembre de 2003.

ARZALUZ, María del Socorro. *Participación ciudadana en la gestión urbana de Ecatepec, Tlalnepantla y Nezahualcóyotl*, Toluca, Instituto de Administración Pública del Estado de México, 2002.

AYUNTAMIENTO DE TIJUANA. *Comparativo de ingresos acumulados a mayo de 2005 vs presupuesto anual. Por inciso*, Tijuana, Ayuntamiento de Tijuana, 2005, en http://bit.ly/1365kj8. Consultado: 30 mayo 2011.

BORJA, Jordi. "El gobierno del territorio de las ciudades latinoamericanas" en *Instituciones y Desarrollo*, Barcelona, Institut Internacional de Governabilitat de Catalunya, N° 8-9, mayo de 2001, pp. 83-142.

——— y Manuel CASTELLS. *Local y global. La gestión de las ciudades en la era de la información*, España, Taurus, 1997.

BRITO, Morelba. "Buen gobierno local y calidad de la democracia" en *Instituciones y Desarrollo*, Barcelona, Institut Internacional de Governabilitat de Catalunya, N° 12-13, diciembre de 2002, pp. 249-275.

CÁMARA MEXICANA DE LA INDUSTRIA DE LA CONSTRUCCIÓN (CMIC). *Memorias del Foro de Desarrollo Urbano, Infraestructura y Competitividad*, Tijuana, CMIC, 9 de noviembre de 2005.

COMISIÓN NACIONAL DEL AGUA (CONAGUA). *Programa detallado de acciones para el proyecto emblemático. Protección a los centros de población e infraestructura aledaños al arroyo Alamar, Tomo 1*, Mexicali, CONAGUA, 2009.

COTLER, Helena; Arturo GARRIDO; Verónica BUNGE y María L. CUEVAS. "Las cuencas hidrográficas de México. Priorización y toma de decisiones" en Helena Cotler (coord). *Las cuencas hidrográficas de México. Diagnóstico y priorización*, ciudad de México, Instituto Nacional de Ecología, 2010, pp. 210-215.

DÁVILA, Julio. "El estado del medio ambiente en las ciudades latinoamericanas" en *Estudios Demográficos y Urbanos*, Vol. I, N° 1, ciudad de México, El Colegio de México, enero-abril de 1998, pp. 49-78.

DIARIO OFICIAL DE LA FEDERACIÓN (DOF). *Ley de Aguas Nacionales*, ciudad de México, DOF, 1° de diciembre de 1992.

———. *Ley General de Asentamientos Humanos*, ciudad de México, DOF, 21 de julio de 1993.

———. *Ley General del Equilibrio Ecológico y la Protección al Ambiente*, ciudad de México, DOF, 28 enero de 1998.

DUHAU, Emilio. "Doctrinas de planeación y gestión del desarrollo urbano" en Alonso X. Iracheta y Martim O. Smolka (coords). *Los pobres de la ciudad y la tierra*, Toluca, El Colegio Mexiquense/Lincoln Institute of Land Policy, 2000, pp. 181-196.

ESPINOZA, Ana E. "Propuesta integral del desarrollo urbano de la zona del arroyo Alamar", conferencia en el *Foro de Desarrollo Urbano, Infraestructura y Competitividad*, Tijuana, CMIC, 9 de noviembre de 2005.

———; Piietro MAGDALENO y Víctor M. PONCE. *Arquitectura fluvial sustentable en los ríos Santa Catarina y La Silla, Monterrey, Nuevo León, México*, San Diego, San Diego State University, 2004, en http://bit.ly/1axpusQ. Consultado: 2 marzo 2006.

GANSTER, Paul. "La cuenca binacional del río Tijuana" en Helena Cotler (coord). *Las cuencas hidrográficas de México. Diagnóstico y priorización*, ciudad de México, Instituto Nacional de Ecología, 2010, pp. 210-215.

GARCÍA, Gilberto e Hiram A. ÁNGEL. "Rescate del río Mayo. Navojoa, Sonora" en Enrique Cabrero (coord). *Gobiernos locales trabajando. Un recorrido a través de programas municipales que funcionan*, ciudad de México, CIDE, 2003, pp. 89-99.

———— y Mauricio LÓPEZ. "Parque ecoturístico Tiacaque. Jocotitlán, Estado de México" en Enrique Cabrero (coord). *Gobiernos locales trabajando. Un recorrido a través de programas municipales que funcionan*, ciudad de México, CIDE, 2003, pp. 65-73.

GARZA, Ario. *Manual de técnicas de investigación para estudiantes de ciencias sociales*, ciudad de México, El Colegio de México, 1994.

GARZA, Gustavo. *La urbanización de México en el siglo XX*, ciudad de México, El Colegio de México, 2003.

GRAIZBORD, Carlos. "El proyecto del río Alamar. Una estrategia de desarrollo urbano para Baja California" en Suzanne Michel y Carlos Graizbord. *Los ríos urbanos de Tecate y Tijuana. Estrategias para ciudades sustentables*, San Diego, San Diego State University, 2002.

GUEVARA, Manuel. "El proyecto del arroyo Alamar", conferencia en el *Foro de Desarrollo Urbano, Infraestructura y Competitividad,* Tijuana, CMIC, 9 de noviembre de 2005.

INSTITUTO MUNICIPAL DE PLANEACIÓN (IMPLAN). *Programa de Desarrollo Urbano de Centro de Población, Tijuana 2002-2025*, Tijuana, Ayuntamiento de Tijuana, 2002.

ISCH, Edgar, (coord). *Guía metodológica de capacitación en gestión ambiental urbana para entidades municipales de América Latina y el Caribe*, Santiago de los Caballeros, PNUD, 1996.

JORDÁN, Ricardo. "Perspectivas estratégicas en la gestión del desarrollo urbano-regional en América Latina y el Caribe", conferencia en el *Seminario Ciudad Sostenible. Desafíos y propuestas de gestión urbana*, CEPAL, 17 de noviembre de 2005.

KRIPPENDORFF, Klaus. *Metodología de análisis de contenido. Teoría y práctica*, Barcelona, Paidós Comunicación, 1990.

ORTIZ, Juan C. "Abre grietas la lluvia" en *FRONTERA*, Tijuana, 13 de enero de 2005.

PIÑUEL, José Luis, "Epistemología, metodología y técnicas del análisis de contenido" en *Revista Estudios de Sociolingüística*, Año 3, Vol 1, Vigo, Universidad de Vigo, 2002, pp. 1-41.

PONCE, Víctor M.; Ana Elena ESPINOZA, Piietro MAGDALENO, Alberto CASTRO y Ricardo CELIS. *Sustainable Architecture of Arroyo Alamar, Tijuana, Baja California, México: Final Report*, San Diego, San Diego State University, 2004, en http://ponce.sdsu.edu/alamar_sustainable_architecture_final_report.html. Consultado: 18 febrero 2006.

QUINTERO, Josefina. "Avanza la rehabilitación de los ríos Magdalena y Eslava" en *La Jornada*, ciudad de México, 14 de febrero de 2008.

RUIZ, Ángel. "Detectan 120 basureros ilegales" en *FRONTERA*, Tijuana, 22 de julio de 2002.

———— . "'Revive' Hank el tren ligero" en *FRONTERA*, Tijuana, 28 de julio de 2004.

SAGREDO, Francisco y Horacio MAXIMILIANO. *Elementos clave y perspectivas prácticas en la gestión urbana*, Santiago de Chile, Comisión Económica para América Latina, 2003.

SALINAS, Daniel. "Requiere inversión de 500 millones de pesos. Anuncian proyecto ecológico para el arroyo Alamar" en *FRONTERA*, Tijuana, 6 de julio de 2005.

———— . "Sacarán a 400 familias del Alamar" en *FRONTERA*, Tijuana, 27 de marzo de 2008.

SAN DIEGO STATE UNIVERSITY (SDSU). *Una visión binacional para la cuenca del río Tijuana*, San Diego, San Diego State University, 2005.

SECRETARÍA DE MEDIO AMBIENTE Y RECURSOS NATURALES (SEMARNAT). *El medio ambiente en México 2005. En Resumen*, ciudad de México, SEMARNAT, 2006.

SORENSEN, Jens; Scoot MCCREARY y Aldo BRANDANI. *Costas. Arreglos institucionales para manejar ambientes y recursos costeros*, Rhode Island, Universidad de Rhode Island, 1992.

TREJO, Carolina. *Gestión ambiental local y buen gobierno. La propuesta de rehabilitar el arroyo urbano Alamar en la ciudad de Tijuana, BC*, tesis de maestría, Tijuana, El Colegio de la Frontera Norte, 2006.

VALENZUELA, José Manuel. *Empapados de sereno. El movimiento urbano popular en Baja California (1928-1988)*, Tijuana, El Colegio de la Frontera Norte, 1991.

VILLEGAS, Manuel. "Inician el 2 de junio canal del Alamar" en *FRONTERA*, Tijuana, 28 de mayo de 2008.

El arroyo Alamar: un gran proyecto urbano para Tijuana

Ana Elena Espinoza*

El arroyo Alamar forma parte de la cuenca hidrológica del río Tijuana, se localiza al noreste de la ciudad de Tijuana. Cuenta con un área de mil 93 hectáreas en una longitud de diez kilómetros dentro del área urbana en dirección este-oeste, que abarca desde el puente del Cañón del Padre hasta el bulevar Lázaro Cárdenas. La ubicación del desarrollo del proyecto integral del Alamar es uno de los pocos lugares dentro de la ciudad que ofrecen la oportunidad de generar un espacio urbano-ambiental, que responda a las necesidades de integración de nuevas áreas de desarrollo económico y de equipamiento recreativo para el esparcimiento de la población.

Para ello, el proyecto integral de la zona del Alamar plantea el encauzamiento ecohidrológico del arroyo a través del cual se permita la creación de un parque lineal de diez kilómetros. En el proyecto se mantiene la recarga del acuífero, se dota de áreas de esparcimiento y de nuevas áreas de desarrollo económico a la ciudad, propone la construcción de la vía rápida Alamar como un importante eje articulador de las zonas oeste y este, además de proporcionar la liga con el proyecto de la garita Otay II.

Este proyecto integral se deriva de los instrumentos de planeación elaborados para el desarrollo urbano de la zona del Alamar, se presentan a continuación con el objetivo de explicar la gestión que realizó el gobierno municipal de Tijuana a través del Instituto Municipal de Planeación (IMPLAN) en el periodo 2005-2007, dentro de la administración del XVIII Ayuntamiento de Tijuana.

* Centro de Estudios Urbanos Sociales y Sustentables (CESUSS). Correl: anaespinozamx@yahoo.com.

La conceptualización de los Grandes Proyectos Urbanos (GPU) como proceso de planeación

En América Latina, el concepto de Gran Proyecto Urbano (GPU) hace referencia a una intervención urbana que trasciende la escala de la parcela y busca la articulación entre arquitectura y planificación (Reese, 2006). Se caracteriza por la magnitud en tamaño y escala: "la magnitud es una dimensión cuantitativa, pero la escala sugiere interrelaciones complejas que conllevan efectos socioeconómicos y políticos" (Lungo, 2007: 294). Por ello, la escala se convierte en el eje central de los GPU, porque se encuentra relacionada con la complejidad de los procesos urbanos que representan su continuidad ante los cambios de mediano y largo plazo. De hecho, uno de los puntos vulnerables que presenta la aplicación de este tipo de proyectos es "la falta de una autoridad gestora que esté desligada o protegida de la volatilidad política de los administradores municipales con el transcurso del tiempo" (Lungo, 2007: 294). Una propuesta para contrarrestar esta situación es la creación de agencias de gestión para el proyecto que tengan carácter autónomo, con el objeto de que el organismo encargado cuente con la capacidad para incorporar y coordinar de manera apropiada la magnitud, la escala y la temporalidad que representan los GPU (Lungo y Smolka, 2007).

Algunas consideraciones para ejecutar los GPU son la innovación en los mecanismos de gestión, la articulación público-privada, la coordinación intersectorial de los procesos participativos, la regulación, el financiamiento y la tributación (Lungo, 2007; Reese, 2006). De ahí que los GPU requieran la intervención del Estado como líder del proyecto, como el ente que coordine los diferentes procesos de gestión e implementación y arbitre entre los diversos intereses de los actores involucrados. Es preciso resaltar que ese liderazgo no implica que la propiedad del proyecto sea del Estado en su totalidad, sino que es responsable de resolver las contradicciones inherentes a estos proyectos por su magnitud, escala, dimensión temporal y tenencia de la tierra (Lungo, 2007). Es por ello que Reese (2006) considera al Gran Proyecto Urbano como un proceso político.

En síntesis, se puede definir al Gran Proyecto Urbano por cuatro características: 1) una estructura de gestión urbana que implica la asociación de varios actores públicos y privados, nacionales e internacionales; 2) necesidades considerables de financiamiento que requieren formas complejas de interrelaciones entre estos actores; 3) la concepción e introducción de nuevos procesos urbanos que tienen por finalidad transformar la ciudad; 4) el cuestionamiento de las perspectivas tradicionales de planificación urbana, puesto que estos proyectos tienden a sobrepasar el alcance de las normas y políticas prevalecientes (Lungo, 2007: 293).

Los grandes proyectos urbanos pueden visualizarse desde dos enfoques: el diseño urbano o el marco normativo. El primero pone énfasis en los aspectos físicos, estéticos y simbólicos, por lo que pueden presentar transformaciones urbanas en el corto plazo que afecten el valor del suelo y con ello provoquen cambios en su uso, y la magnitud del proyecto puede ser desde grandes superficies hasta una ciudad-región. El segundo enfoque analiza la valoración del suelo que se obtiene por el desarrollo urbano y el papel que juegan los grandes proyectos urbanos en la refuncionalización de ciertas áreas. En este caso, la ejecución de los proyectos es considerada como un instrumento para el autofinanciamiento y viabilidad económica (Lungo y Smolka, 2007).

Si bien es cierto que la ejecución de los GPU tienen consecuencias positivas para las ciudades porque logran revertir los procesos de deterioro en los que se encuentran inmersos los sitios antes de la intervención urbana, también existen algunas desventajas relacionadas con la visión de los proyectos que promuevan la exclusión y segregación social de poblaciones de bajos recursos asentadas en la zona de intervención o en los alrededores de ella, y beneficien en forma exclusiva a la población de medianos y altos ingresos (Lungo, 2007). Por ello, uno de los principales retos en la ejecución de estos proyectos es lograr de manera conjunta la inversión privada y de la implementación de programas sociales que integren o mejoren la calidad de vida de la población residente de la zona de intervención (Lungo, 2007).

Los Grandes Proyectos Urbanos, en palabras de Lungo y Smolka (2007: 300), por

> su escala y complejidad suelen incitar la aparición de nuevos movimientos sociales, redefinir oportunidades económicas, poner en duda marcos normativos de desarrollo urbano y reglamentos del uso del suelo, exceder las arcas municipales y ampliar escenarios políticos, todo lo cual altera la función de los grupos de interés urbanos. A esta diversidad de factores se le agrega la complicación del largo marco temporal que requiere la ejecución de estos grandes proyectos urbanos, que usualmente exceden los periodos de gobiernos municipales y los límites de su autoridad territorial. Esta realidad plantea retos de gerencia adicionales y enormes controversias dentro del debate público y académico.

Las características del proyecto del Alamar lo sitúan dentro del concepto de Grandes Proyectos Urbanos por su dimensión espacial, temporal y financiera. La dimensión espacial comprende el tamaño del proyecto que involucra más de una propiedad, y con ello existe la presencia de diversos propietarios de la tierra, tanto públicos –de carácter federal, ejidal y municipal– como privados. La dimensión temporal corresponde a la gestión y ejecución del proyecto que traspasa el tiempo administrativo de tres años del municipio. Por último, la dimensión financiera del proyecto, que por su magnitud requiere la participación gubernamental de los tres órdenes de gobierno, además de la concepción de un modelo de inversión público-privado.

El proceso de gestión municipal en el periodo 2005-2007

El Instituto Municipal de Planeación de Tijuana (IMPLAN) en el periodo 2005-2007 desarrolló un programa para la zona del arroyo Alamar, en el que se combinó una planeación tradicional –requerida por la normatividad establecida en la leyes y normativas para el desarrollo urbano en el estado– con la aplicación de mecanismos de gestión en donde se consideró una visión estratégica del territorio y la participación del mayor número de actores que incidían en el proyecto del sector público –de los tres ámbito de gobierno, ejidos, propietarios y posesionarios de la tierra, asentamientos irregulares, organizaciones sociales, colegios de profesionistas– y del sector privado –cámaras empresariales, los consejos de desarrollo económico y las empresas localizadas en el área del proyecto.

El programa se centró en la identificación de los conflictos derivados de los diferentes intereses dentro del ámbito territorial del Alamar para definir estrategias y acciones orientadas a conciliar los diversos intereses, y así dar inicio a un proceso de reversión de los efectos ambientales, sociales, económicos y políticos en zona del Alamar. A lo largo de tres décadas estos efectos fueron ocasionados por la continua ocupación irregular de la zona federal, el depósito de residuos sólidos, las descargas clandestinas al cauce y la anarquía de la ocupación por sus diferentes usos de suelo, problemas que han significado una gran complejidad en la perspectiva de su solución en el lapso de una administración municipal e incluso de una estatal.

Por lo anterior, el IMPLAN diseñó estrategias de planeación, de gestión participativa y de financiamiento que se expresan en acciones de corto, mediano y largo plazo. En el Cuadro 1 se presenta una síntesis de las acciones realizadas en dos años de gestión del proyecto Alamar.

Cuadro 1
Acciones realizadas en el periodo 2005-2007

Año	Acción
2005	Moratoria para la recepción de solicitudes de autorización de usos del suelo y de licencias de construcción en el polígono del Alamar.
2005-2006	Programa parcial de conservación y mejoramiento urbano para la zona del arroyo Alamar 2007-2018.
2006	Proyecto ejecutivo de la vialidad Vía rápida Alamar.
2006	Proyecto arquitectónico ecohidrológico del parque lineal del arroyo Alamar.
2006	Proyectos ejecutivos de cuatro integraciones viales para la vialidad Vía rápida Alamar.
2006	Censo de los asentamientos irregulares del Alamar.
2006	Integración de la documentación para la certificación del proyecto en la COCEF para obtener crédito del NADBANK.
2007	Limpieza y saneamiento del tramo del bulevar Lázaro Cárdenas al bulevar Clouthier.
2007	Liberación del derecho de vía del tramo del bulevar Lázaro Cárdenas al bulevar Clouthier.
2007	Creación del fideicomiso de administración e inversión para dotar de obras de urbanización, construcción, habilitación y de rehabilitación de infraestructura urbana de la zona del arroyo Alamar.
2007	Elaboración y validación del manifiesto de impacto ambiental de los proyectos de encauzamiento y vía rápida.

Fuente: Elaboración propia.

Estrategias de planeación

Acciones realizadas en 2005

La primera acción que se aplicó en 2005 fue la elaboración de una moratoria para la recepción de solicitudes de autorización de usos de suelo y licencias de construcción en los predios localizados dentro del polígono –de 1,410.162 hectáreas– definido para el desarrollo urbano de la zona del Alamar. Este instrumento jurídico, con vigencia de 12 meses, fue una estrategia que permitió llevar a cabo la planeación de la zona con la participación de los actores involucrados dentro del ámbito del proyecto, la cual se tomo en cuenta en la elaboración del programa parcial; además, se logró una coordinación con el organismo de administración urbana encargado de expedir los usos de suelo y licencias de construcción para evitar en lo posible la utilización del suelo de manera incompatible con el desarrollo del proyecto.

En ese mismo año, se inició el programa parcial de conservación y mejoramiento urbano para la zona del arroyo Alamar con un escenario de planeación a 10 años, comprendidos de 2007 a 2018. La imagen objetivo propuesta del programa integraba la zona del Alamar al contexto urbano-regional, creando nuevas áreas para el desarrollo económico y social de la ciudad. El enfoque planteado fue un desarrollo urbano sustentable de la zona, por ello se propuso un encauzamiento ecohidrológico del arroyo. El programa pretendió un equilibro entre los recursos naturales de la zona y las necesidades de nuevas áreas de crecimiento urbano.

El programa parcial se sometió a consulta pública el 26 de julio de 2007, convocatoria publicada por el diario *Frontera* el 14 de julio del mismo año. Fue presentado ante la Comisión de Desarrollo Urbano y Control Ecológico del cabildo de Tijuana el 27 de septiembre de 2007, siendo aprobado por el ayuntamiento de Tijuana.

De acuerdo con los procesos señalados dentro de la Ley de Desarrollo Urbano del estado, una vez cumplidos estos procesos el documento debe ser enviado al ejecutivo estatal para su publicación en el Diario Oficial de la Federación; no obstante, el ejecutivo, a través de la SIDUE, no cumplió con lo establecido por la ley, haciendo caso omiso a la decisión del municipio sobre la planeación de la zona del Alamar propuesta en el programa parcial.

Acciones realizadas en 2006

Con el objetivo de pasar del nivel abstracto de la planeación hacia la ejecución concreta de las acciones en el territorio, en 2006 se elaboraron los proyectos ejecutivos de la estructura vial de la zona, que consistió en cinco proyectos ejecutivos: el proyecto ejecutivo de la vialidad Vía rápida Alamar y los proyectos ejecutivos para cada una de las cuatro integraciones viales que comprende la vía rápida, además del proyecto arquitectónico ecohidrológico del parque lineal del arroyo Alamar. Éstos se integraron al proyecto de encauzamiento del arroyo realizado en 2001 por el ayuntamiento de Tijuana, por lo que se hicieron los ajustes necesarios para conjuntarlo con los otros proyectos ejecutivos. De manera sucinta se describen los proyectos ejecutivos, ya que el objetivo del presente documento es expresar todas las estrategias realizadas en torno al desarrollo urbano de la zona del Alamar,

Plano 1
Proyecto integral para el desarrollo urbano del Alamar

Fuente: Elaboración propia.

y no la descripción de los programas o proyectos elaborados, ya que éstos pueden ser consultados en el IMPLAN.

La vía rápida Alamar se proyectó con una trayectoria de 11.38 km desde el puente Lázaro Cárdenas hasta la integración con el corredor Tijuana-Rosarito 2000, con un derecho de vía de 52.50 m y cinco carriles por sentidos de circulación de 3.65 m, tres de ellos de alta velocidad y dos de baja velocidad, siguiendo el concepto de la vía rápida Oriente.

En la trayectoria de la vía rápida se encuentran cuatro intersecciones con las siguientes vialidades (Plano 1): Vía Rápida Oriente y el canal de concreto del Alamar –conocido como La Bocina–; bulevar Manuel J. Clouthier; bulevar Héctor Terán Terán; y la propuesta de vialidad Las Torres. Para cada una de las intersecciones se realizó un proyecto ejecutivo.

Acciones realizadas en 2007

Después de contar con todos los proyectos ejecutivos realizados, se elaboró el manifiesto de impacto ambiental y con ello la solicitud ante la SEMARNAT de la manifestación de impacto ambiental en la modalidad regional, bajo el título de "Encauzamiento del arroyo Alamar y construcción de la vialidad vía rápida Alamar del km 0+000 (inicio de canalización de la 2ª etapa del río Tijuana) al km 10+205 (puente Cañón del Padre de la autopista Tijuana-Tecate) en el municipio de Tijuana, Baja California", promovido por el Instituto Municipal de

Planeación de Tijuana (IMPLAN). Este proyecto fue recibido en abril de 2007 por la Dirección General de Impacto y Riesgo Ambiental (DGIRA), y quedó registrado para su evaluación y dictamen en materia de impacto ambiental con la clave 02BC2007UD015. La resolución del impacto ambiental por la SEMARNAT en donde se expresa la factibilidad del proyecto se recibió en junio de 2007 con el oficio SGPA/DGIRA. DG.-1407/7.

Estrategias de gestión participativa con los diversos actores

Dentro de las estrategias de gestión participativa se encuentran diversos actores, entre ellos –y uno de los puntos medulares para la ejecución del proyecto– los asentamientos irregulares localizados sobre el arroyo Alamar. Consideramos que la participación de los diferentes grupos era importante para la consolidación del proceso de ejecución del proyecto de manera consensuada entre los diversos actores. En este sentido, se definieron estrategias para abordar el conflicto con los asentamientos irregulares, con los posesionarios de la tierra asentados en zona federal y con los propietarios que fueran afectados por el proyecto.

El proceso de gestión con los asentamientos

En un periodo de dos años (2005-2007), en el IMPLAN fue posible la identificación y clasificación de la ocupación irregular de la zona del Alamar, que comprende la zona federal y las zonas aledañas al cauce del arroyo. De manera conjunta se llevó a cabo un incipiente intento por delimitar el derecho de vía del proyecto de la vía rápida y del encauzamiento ecohidrológico del arroyo, además del planteamiento de algunas propuestas para remediar el impacto de los asentamientos irregulares.

La problemática de ocupación irregular de la zona se puede dividir en los tres segmentos del arroyo que se forman naturalmente por el cruce de dos vialidades: los bulevares Clouthier y Terán Terán. A continuación se describe el proceso de gestión.

El primer tramo, del bulevar Lázaro Cárdenas al bulevar Clouthier

En este tramo se localiza la mayor concentración de actividades económicas, además de algunas concesiones que se dieron para explotar los bancos de arena. Al inicio del mismo se encuentran negocios medianos de almacenamiento y distribución de material de construcción y una *blockera* con guardias de seguridad, después se encuentran burdeles, viveros, parcelas con cultivos, balnearios, un campo de *paintball*, pistas para *go-kart*, ranchos, bodegas, rodeos y, paradójicamente, instalaciones deportivas en el cauce del arroyo que no se utilizan.

En esta zona se realiza el tiradero y el consiguiente acopio de basura de todo tipo, pero fundamentalmente cascajo que atrae a los pepenadores, quienes se asientan en la zona perentoriamente generando el primer asentamiento irregular sumamente precario, que coexiste con viviendas estilo campestre y una colonia antigua que lleva el mismo nombre del arroyo y data de 1950, siendo, no obstante, igualmente irregular.

La ocupación de este tramo fue pacífica, sus moradores no enarbolaban ninguna pertenencia a grupos políticos o religiosos; algunos contaban con documentos catastrales apócrifos que supuestamente legitimaban su posesión de tierra e incluso algunos eran invasores reincidentes, puesto que habían sido desalojados durante la administración municipal anterior. En este tramo, la mayor parte de los asentados le fue ganando terreno a la zona federal y algunos de ellos alargaron sus posesiones hasta el cauce, al parecer por ausencia de autoridad ya que no encontraron ninguna resistencia.

Durante la segunda mitad de 2006, el IMPLAN tuvo un acercamiento con prácticamente todos los dueños de establecimientos comerciales, y se puede decir que se había concertado la devolución del tramo que ocupaban de la zona federal que permitiera la construcción del proyecto ecohidrológico. Las resistencias se dieron con los dueños de la *blockera* y el campo de *paintball*, el primero sin permitir acercamiento y el segundo con negativa a ceder la parte de terreno que ocuparía el proyecto.

Igualmente, se contactó a los posesionarios de viviendas en el mismo tramo, quienes en su mayoría habían firmado un acuerdo establecido con el municipio de Tijuana a través del IMPLAN. Sin embargo, al inicio de la delimitación del derecho de vía del proyecto y al ser afectado el grupo de pepenadores, el grupo Antorcha Campesina –que no tenía presencia en este tramo del arroyo– aprovechó la coyuntura para cooptarlos, situación que retrasó la limpieza y demarcación del derecho de vía del proyecto.

El segundo tramo, del bulevar Clouthier al bulevar Terán Terán

La ocupación en este tramo es de asentamientos humanos irregulares, promovidos principalmente por sectas religiosas o por organizaciones políticas de personas sin tierra o vivienda, aunque también por familias o grupos provenientes de diferentes estados de la república que encontraron en la zona condiciones para ocuparla sin tener problemas con la autoridad. A pesar de que sus habitantes tienen más de seis años de vivir ahí, el tipo de construcción es precario en su totalidad, lo que expresa la perspectiva de ocupación temporal para conseguir algo mejor.

El mayor número de las personas asentadas irregularmente está agremiado a la organización Antorcha Campesina, seguida por la secta religiosa de la Luz del Mundo. Sin embargo, Antorcha Campesina es la organización que da la cara ante la autoridad y la que establece los términos de la negociación.

A mediados de 2006, al IMPLAN se le delegó la negociación con este grupo. A partir de ello, se aplicó un censo de los habitantes de la zona con tal de contar con información estadística del número de habitantes, sus características y el número de predios existentes. El IMPLAN diseñó un censo y posteriormente impartió capacitación a 10 habitantes de la zona para realizar el levantamiento del cuestionario, de donde se obtuvo un total de 486 predios, dentro de los cuales habitaban 2 mil 391 personas integradas en 662 familias. Es importante destacar que al menos una tercera parte de los predios no tenía habitantes, sus posesionarios dejaban vehículos inservibles estacionados y muebles para aparentar ocupación.

También se realizaron más de diez reuniones con los líderes para acordar acciones y soluciones a la problemática y tres reuniones en el sitio con los habitantes de la zona para explicarles las condiciones de su posible reubicación. De todas las reuniones realizadas entre IMPLAN y Antorcha Campesina existe un acta de acuerdos firmada por los representantes de ambas partes.

Paralelamente, de manera conjunta con el Fideicomiso Inmobiliaria Municipal de Tijuana (FIMT), se desarrolló una estrategia de reubicación de los asentamientos irregulares, para la cual se plantearon varias opciones: 1) la búsqueda de terrenos cercanos a la zona del Alamar para reubicarlos, la superficie requerida se calculó en 13 hectáreas para un total de 700 lotes; 2) adquirir una vivienda económica en Urbi Villa del Prado con crédito INFONAVIT; y 3) elegir un lote de 90 m² con pie de casa de 25 m², a través de un subsidio de FONHAPO.

Una vez comunicadas las opciones propuestas a Antorcha Campesina, las negociaciones se empezaron a ver obstaculizadas –desde nuestro punto de vista– por intereses personales de la agrupación antorchista de continuar con el control sobre las personas del asentamiento, ya que sólo aceptaban la primera opción de reubicación –es decir, en bloque– para consolidar una colonia en la cual podrían tener el control futuro. El discurso de los líderes antorchistas para no aceptar las opciones 2 y 3 fue que la mayoría de la población no quería ninguna de ellas, y por lo tanto no habría negociación.

Éste fue el punto medular que hubiera servido para desarticular el supuesto liderazgo de Antorcha Campesina en esta zona del Alamar, ya que al informar directamente a la población sobre el proyecto de urbanización y las opciones de reubicación se mostraron interesados en poder conseguir una mejor opción de vivienda a la que actualmente habitaban, sobre todo los habitantes que habían llegado a la zona por sí solos –no a través de Antorcha Campesina– y los que pertenecían al grupo de la Luz del Mundo. De hecho, muchos de ellos fueron personalmente a solicitar información al IMPLAN sobre los requisitos para obtener el subsidio de FONHAPO, los cuales fueron enviados al FIMT y se incluyeron en el programa.

Al parecer, esta situación fue un factor que motivó a los dirigentes de Antorcha Campesina a solicitar a la Secretaría de Gobierno municipal que ésta se hiciera cargo del proceso de reubicación, ya que el IMPLAN era un organismo técnico. De ahí que en los meses que restaban para la conclusión del periodo de la administración municipal el IMPLAN solamente continuó con el proceso de planeación normativo. Una de las razones por las que no se concluyó con la oferta de la primera opción fue la falta de tiempo y recursos económicos para adquirir la tierra en zonas aledañas al Alamar, ya que para acceder a los programas de reserva de tierra de Habitat de la SEDESOL se tenía que ingresar en los proyectos de 2008, lo que traspasaba el periodo administrativo del XVIII ayuntamiento de Tijuana.

De la experiencia en la negociación con Antorcha Campesina podemos decir que es un grupo vulnerable, ya que su presencia depende de la existencia de la reivindicación misma por el derecho a una vivienda digna; su principal interés no es la solución del conflicto, puesto que éste le representa ganancias económicas a través de las cuotas establecidas en sus asambleas, mismas en las que informan a los habitantes que integran a su organización sobre los acuerdos tomados con la autoridad. Lo anterior lo podemos sustentar porque ellos contaban con toda la información del proyecto, de las opciones de reubicación y hasta de la posibilidad de obtener la reserva de tierra a través de los programas de la SEDESOL. Esta información los posiciona como una organización con la que se puede dar continuidad a este proyecto –por lo menos en el complejo aspecto de la reubicación de los asentamientos irregulares–, ya que existían acuerdos firmados entre el IMPLAN y los antorchistas; sin embargo, éstos prefieren hacer caso omiso a los acuerdos, fingir que desconocen el proyecto de urbanización de la zona e iniciar nuevas negociaciones con las autoridades municipales entrantes, como si no existiera nada con anterioridad. De hecho, sus primeras manifestaciones ante las nuevas autoridades son mediante el acarreo de sus integrantes para apostarse afuera de las sedes gubernamentales y gritar consignas –las cuales son cambiadas por el nombre del funcionario público en turno–; en lugar de presentarse ante la autoridad competente para darle seguimiento a los acuerdos y acciones que quedan pendientes por la conclusión del periodo de la administración pública. Por ello, consideramos que las formas de conducirse de Antorcha Campesina responden más a una visión de alargamiento del conflicto que a su solución.

Por último, consideramos importante expresar que, si bien es cierto que se dio la coyuntura para desarticular la presencia de Antorcha Campesina en esta zona del Alamar, no era el objetivo de la gestión de IMPLAN, aunque pensamos que sí era importante para llevar a cabo la ejecución futura del proyecto, de ahí que coincidimos con Reese (2006) al plantear que el Gran Proyecto Urbano es un proceso político.

El tercer tramo, del bulevar Terán Terán al puente
del Cañón del Padre

Este tramo presenta menores conflictos en la posesión de la tierra y menores impactos ambientales. Dentro de esta zona se ubica un conjunto de ladrilleras y un conjunto habitacional del grupo *GEO*, que está prácticamente sobre el área de inundación del arroyo y que además cerró el paso hacia el corredor Tijuana- Rosarito 2000. Dado que este tramo se contemplaba como la última etapa del proyecto, sólo se contactaron a los ladrilleros de la zona, sin realizar acciones de concertación con ellos para su reubicación.

La gestión con la iniciativa privada

La empresa privada *Bajagua*, que tenía el contrato de diseño, construcción y operación del proyecto de saneamiento del Acta 311, fue uno de los actores que participaron con apoyo económico al proyecto del Alamar. Debido a que después de varios años de análisis sobre los posibles sitios en donde se podría localizar el proyecto de saneamiento del Acta 311 (tratamiento secundario de aguas residuales en el río Tijuana), se acordó en 2006 –a través de organismos binacionales, federales, estatales y municipales– que la zona del Alamar era el sitio indicado para ubicar la planta de segundo tratamiento de agua. De ahí que IMPLAN y *Bajagua* llevaran a cabo varias reuniones para que el proyecto de *Bajagua* fuera compatible con el proyecto vial y de encauzamiento ecohidrológico que se tenía planeado para el Alamar. La empresa siempre mostró su interés en participar y apoyar el proyecto del municipio, un ejemplo concreto fue la aportación económica que realizó para el programa de limpieza y saneamiento del primer tramo del arroyo, del bulevar Lázaro Cárdenas al bulevar Clouthier.

Las aportaciones económicas no se hacían al IMPLAN, sino a la empresa que llevaba a cabo las tareas de limpieza en el Alamar. Desafortunadamente, el proyecto de saneamiento del Acta 311 se vio detenido por el gobierno de Estados Unidos.

De manera conjunta a estas acciones, el derecho de vía en ese mismo tramo se fue liberando y se logró casi en 100%. Solamente se encontró resistencia en el último predio en el que se localiza un establecimiento de *paintball*, que hace esquina con el bulevar Clouthier. A pesar de ello, sí se conecto la vialidad de terracería con el bulevar.

En el segundo tramo se encontraba la empresa *Verde Corporate*, que iniciaba con la construcción de una planta industrial. De igual forma, la relación con el IMPLAN estuvo enfocada en compatibilizar su proyecto con la propuesta de urbanización del Alamar. Hasta este momento, solamente se contaba con el proyecto conceptual de la vía rápida Alamar, por lo que la empresa aportó los recursos económicos para elaborar el proyecto ejecutivo de la vialidad. Esta gestión por un lado le daba certeza a la empresa que la zona se transformaría con un desarrollo urbano armónico –lo cual beneficiaba su inversión–, y por otro el municipio contaría con el proyecto ejecutivo de la vialidad, para lo que carecía de recursos económicos.

La empresa *Dart* de Tijuana, aunque no se encontraba físicamente localizada en la zona del Alamar, también apoyó al proyecto del Alamar con la renta de una caseta móvil durante 10 meses, misma que se instaló en los terrenos de las albercas *Briseño*. Esta caseta se acondicionó para dar atención a la población dentro de la zona sin la necesidad de tener que desplazarse hasta las oficinas del IMPLAN.

La gestión con las cámaras

La Cámara Mexicana de la Industria de la Construcción (CMIC) y el Consejo de Desarrollo Empresarial (CDE) estuvieron integrados en el proceso de desarrollo del proyecto y cuentan con toda la información del proyecto del Alamar. En 2007 se realizó un recorrido con ingenieros integrantes de la CMIC al Alamar para que conocieran los avances en los trabajos de limpieza, la liberación del derecho de vía y los pozos de visita realizados para el estudio de geotecnia de las cuatro integraciones viales.

Estrategias de financiamiento

Las estrategias de financiamiento para el proyecto también se diseñaron para el corto, mediano y largo plazo. El programa parcial de desarrollo y el proyecto de las cuatro intersecciones viales se financiaron a través del programa Habitat de la SEDESOL, con la aportación de 50% de la federación y 50% del municipio. El resto de los programas y las acciones fue financiado por medio de la iniciativa privada, como se expresó anteriormente. En el Cuadro 2 se presenta una síntesis de los gastos realizados en el Alamar, que corresponde tanto a los proyectos como a la ejecución de acciones dentro de la zona.

De acuerdo con la cotización del proyecto de ejecución de obra derivado de los proyectos ejecutivos, el costo de la urbanización de la zona consistente en la construcción de la vía rápida y el encauzamiento del arroyo es de 800 millones 854 mil 264 pesos. En el Cuadro 3 se muestra el resumen de los costos, aunque existe un presupuesto desglosado para cada una de los obras a ejecutar.

Una vez que se tuvieron los proyectos ejecutivos y el costo de la ejecución de las obras de urbanización, en diciembre de 2006 se integró la documentación para la certificación del proyecto integral en la COCEF con el objetivo de obtener crédito del NADBANK. El proyecto fue enviado a la COCEF con el oficio DIR/740/2006, misma información que se dirigió al NADBANK para el análisis financiero. A pesar del continuo seguimiento que se le dio a este proceso, ocho meses después de haber ingresado el proyecto se recibió un oficio de la COCEF informándonos que el proyecto "Restauración del cauce y desarrollo de la Vía rápida del arroyo Alamar, Tijuana, BC" sería removido de la lista de proyectos por no haber contestado el oficio en donde se solicitaba el ingreso de dicho proyecto. Esta situación fue aclarada con la institución, ya que se contaba con una copia del expediente del proyecto enviado y hasta con la copia del envío por paquetería. No obstante, el tiempo también fue decisivo para concluir esta gestión, ya que a partir del último comunicado enviado por la COCEF, solamente restaban 3 meses para la conclusión del periodo administrativo.

Por último, en 2007 se diseñó el proyecto para la creación del fideicomiso de administración e inversión para dotar de obras de urbanización, construcción, habilitación y de rehabilitación de infraestructura

Cuadro 2
Síntesis de gastos del proyecto Alamar 2006-2007

Conceptos	Costo en dólares
Retroexcavadora	$1,600
Retroexcavadora	$34,400
Camión	$500
Tractor	$51,200
Motoconformadora	$3,200
Renta oficina móvil	$2,050
Contrato fideicomiso	$4,500
Proyecto ejecutivo vialidad	$100,000
Proyecto ejecutivo 4 integraciones	$121,000
Censo asentamientos irregulares	$3,000
Reporte de monitoreo ambiental	$10,000
Estudio mecánica de suelos	$5,500
Fletes	$4,000
Total	$340,950

Fuente: Elaboración propia con base en información del IMPLAN.

urbana de la zona del arroyo Alamar. El proyecto fue evaluado por la Consejería Jurídica Municipal, y solamente quedó pendiente la firma entre el Ayuntamiento de Tijuana y el Banco Mercantil del Norte SA.

El cambio de gobierno y de visión del proyecto

En abril de 2009, la Comisión Nacional del Agua eligió la zona del Alamar como un proyecto emblemático considerado dentro del Programa Nacional Hídrico (PNH) 2007-2012. Por ello, el proyecto del Alamar se denominó Proyecto Emblemático: "Protección a los centros de población e infraestructura aledaños al arroyo Alamar". Bajo este esquema, la visión del proyecto del Alamar se redujo a la simple solución de encauzar el arroyo con concreto bajo el supuesto de protección a la población aledaña al arroyo, como el título del proyecto señala.

Algunas reflexiones

Algunos de los factores que han contribuido para que en la zona del Alamar no se realice un programa de desarrollo urbano son: 1) la presencia de suelo federal dentro del territorio del municipio de Tijuana, que no cuenta con una definición jurídica territorial de la zona federal del arroyo; 2) la falta de institucionalidad de los organismos de gobierno, que anteponen una visión individualista y partidista que vuelve vulnerable al proyecto de desarrollo; y 3) la ausencia de autoridad de

Cuadro 3
Resumen de costos de la obra del arroyo Alamar

Concepto	Costo en pesos
Etapa 1 (Bocina – bulevar Clouthier)	$52,356,500
Etapa 2 (blv. Clouthier-blv.Terán Terán)	$113,227,766
Etapa 3 (blv.Terán Terán- carretera a Tecate)	$55,265,947
Total de la vía rápida	**$220,850,264**
Cuatro intersecciones viales (puentes)	$180,000,000
Total de la vía rápida con los 4 puentes	**$400,850,264**
Encauzamiento (bordo del canal)	$400,000,000
Total de la obra	**$800,850,264**

Fuente: IMPLAN. Presupuesto elaborado en septiembre de 2006.

los tres niveles de gobierno con respecto a sus diversas atribuciones dentro del espacio territorial del Alamar.

Desde esta perspectiva, la zona del arroyo Alamar seguirá siendo objeto del deterioro social, urbano y ambiental que data desde hace más de 30 años. En este sentido, la pregunta obligada es: ¿quién será responsable de la anarquía urbana y del deterioro ambiental y social de la zona?

Bibliografía

LUNGO, Mario. "Grandes proyectos urbanos. Desafíos para las ciudades latinoamericanas" en Martim O. Smolka y Laura Mullahy (eds). *Perspectivas urbanas, temas críticos en políticas de suelo en América Latina*, Cambridge, Lincoln Institute of Land Policy, 2007.

LUNGO, Mario y Martim O. SMOLKA. "Suelo y grandes proyectos urbanos: la experiencia latinoamericana" en Martim O. Smolka y Laura Mullahy (eds). *Perspectivas urbanas, temas críticos en políticas de suelo en América Latina*, Cambridge, Lincoln Institute of Land Policy, 2007.

REESE, Eduardo. *Curso de gestión urbana para Latinoamérica*, Querétaro, Lincoln Institute of Land Policy, 2006.

El arroyo Alamar de Tijuana: un río urbano amenazado se terminó de imprimir en agosto de 2013 en los talleres de Impresos Lugar's, calle Joaquín Baranda N° 16, col. El Santuario, Iztapalapa, DF. efe5203@gmail.com. La edición consta de mil ejemplares.